Feng Shui
Harmonisches Wohnen mit Pflanzen

Günther Sator

Feng Shui

Harmonisches Wohnen mit Pflanzen

240 Farbfotos von Friedrich Strauß, Wolfgang Redeleit, Ulrike Schneiders und anderen bekannten Pflanzenfotografen

50 farbige Illustrationen von Heidemarie Vignati

Was ist Feng Shui?

Wohnung und Balkon geschickt verändern

Die Bagua-Zonen kraftvoll gestalten

Die geheimen Energien der Pflanzen

Die ganze

Natur

ist Harmonie,

und wir sind

geschaffen,

mit ihr zu

harmonieren.

Bengt Berg

Was ist Feng Shui?

Nutzen auch Sie die Erkenntnisse dieser uralten fernöstlichen Lehre!

Die Lehre des Feng Shui

Fernöstliche Weisheiten

Feng Shui basiert auf der uralten Erkenntnis, dass wir ständig mit unserer Umgebung in Austausch leben und von dieser wiederum stark beeinflusst werden: Alles ist mit allem verbunden, nichts existiert isoliert – jeder Gegenstand, jedes Lebewesen, jeder Gedanke, jedes Gefühl steht in Beziehung mit allem anderen.
So hat unser Umfeld große Auswirkung darauf, wie es uns geht und wie sich unser Leben entwickeln wird.
Umgekehrt ist die Umgebung in gewisser Weise auch Ausdruck unseres inneren Zustandes: Gesundheit oder Krankheit, Erfolg oder Misserfolg, sogar Beziehungsglück oder -pech spiegeln sich in ihr wider – und lassen sich über sie indirekt auch beeinflussen. Feng Shui lehrt uns, wie wir durch eine bewusste Auswahl des Ortes, an dem wir leben, und dessen gezielte Gestaltung Wohlbefinden und Glück erreichen können. Es erklärt, warum manche Bereiche zum Wohnen besser geeignet sind als andere und mit welchen Mitteln wir auf unser Umfeld Einfluss nehmen können. Es ist eine jahrtausendealte chinesische Wissenschaft, letztlich so alt wie die Menschheit selbst.
Da die Lehre auf überall gültigen Naturgesetzen basiert, kann sie auch bei uns im Westen bestens angewandt werden.

Die Kraft des Wohnens

»Es ist, Ihr möget wollen oder nicht, das Haus der Spiegel Eurer selbst«, schrieb der Schweizer Erzähler Jeremias Gotthelf im 19. Jahrhundert über die Beziehungen zwischen einem Haus und dessen Bewohnern. Wie Sie wohnen, ist kein Zufall: In der Wahl Ihrer Bleibe und in Ihrer Einrichtung drückt sich Ihre Persönlichkeit und Ihre aktuelle Lebenssituation aus. So kann Ihre Wohnung auch sehr viel über Sie offenbaren – vielleicht mehr, als Sie selbst für möglich halten!
Wenn Sie sich in Ihren vier Wänden geborgen fühlen, wenn sie eine freundliche, positive Ausstrahlung hat, kann sie ein Ort der Entspannung sein, an dem Sie täglich neue Energie und Lebensfreude tanken – die Voraussetzung für Ihr Wohlbefinden.

Die Anwendung in unserem Alltag

Feng Shui, die uralte chinesische Lehre vom Leben und Wohnen in Harmonie, bietet eine Fülle von »Werkzeugen« (→ Seite 24), mit denen Sie Einfluss auf die Wohn- und damit auf Ihre Lebensqualität nehmen können.
In diesem Buch finden Sie viele einfach nachvollziehbare Tipps, wie sich mit Hilfe von Pflanzen und Accessoires zahlreiche Wohnsituationen verbessern und Probleme lösen lassen. Die hier vorgestellten, dem westlichen Geschmack angepassten Methoden werden Ihnen helfen, wesentlich mehr aus Ihrem Leben zu machen, als Sie es vielleicht bis jetzt getan haben.
Bevor Sie die eine oder andere Änderung in Angriff nehmen, sollten Sie sich daher stets fragen, was Ihnen das betreffende Problem wohl ganz persönlich zu sagen hat? Sie werden dadurch eine völlig neue und faszinierende Sicht auf Ihr Leben und Ihr persönliches Umfeld entwickeln und dabei eintauchen in die »Magie der Zusammenhänge«, denn wie an einer Perlenkette sind alle Ereignisse Ihres Lebens auf scheinbar unerklärliche Weise miteinander verbunden.

Das Geheimnis des Chi

Die Lebensenergie

Haben Sie sich schon einmal überlegt, warum Sie sich an manchen Orten besonders wohl fühlen? Dahinter verbirgt sich ein Prinzip, das inzwischen auch von den Naturwissenschaften bestätigt wurde: Alles, was uns umgibt, besteht aus Energie, selbst scheinbar unbelebte Dinge wie ein Berg oder ein Tisch. Diese universelle Lebenskraft wird in China »Chi« (oder Qi, sprich Tschi) bezeichnet. Jeder Ort hat Chi, jede Landschaft, jede Blüte und jede Farbe – alles! Wenn Ihnen ein Raum besonders behagt, dann fühlen Sie die Harmonie seiner unsichtbaren Chi-Energie.

Die Energie soll wie ein Bach durch die Wohnung schwingen.

Harmonisches Fließen

Auch eine Wohnung muss als Organismus betrachtet werden, vergleichbar dem menschlichen Körper. Räume wie auch der Mensch strahlen einerseits Energie in die Umgebung ab, benötigen aber selbst ebenfalls eine ausreichende Menge an Chi. Wenn innerhalb Ihrer Wohnung viel Lebensenergie zur Verfügung steht und diese sich ausgewogen verteilt, werden dort Harmonie, Gesundheit und Wohlbefinden gedeihen.

Dabei zeigt uns die Natur, worauf es ankommt, denn diese kennt nur fließende Bewegungen, wie bei einem sanft mäandrierenden Bach. Räume und Möbel sollten daher so angeordnet werden, dass das Chi in leichten Schwüngen zirkulieren und jeden Bereich gleichmäßig ausfüllen und beleben kann.

Akupunktur im Raum

Das Chi muss harmonisch fließen: Durch die Tür kommt mit den Menschen das meiste Chi in die Wohnung, Flure und freie Plätze fungieren dann gewissermaßen als die Energie-Leitbahnen. Sind sie blockiert – etwa durch ungünstig gestellte Möbel – bringt der dadurch verursachte Stau Hemmnisse oder Krankheit. Vergleichbar der Nadel bei der inzwischen auch von der Schulmedizin akzeptierten Akupunktur sind es im Feng Shui spezielle Hilfsmittel (→ Seite 21), die das Chi zum Fließen bringen können. Schon eine kleine Veränderung führt oft zu verblüffenden Wirkungen.

Der Wohnungs-Check

Kann die Energie in Ihrer Wohnung überall ungehindert fließen? Stellen Sie sich vor, ein junges Paar würde sich walzertanzend durch Ihre vier Wände bewegen – wo wäre es für zwei Menschen zu eng, wo ragen Möbel in den Weg, sind die Teppiche Stolperfallen, klemmt die Wohnzimmertür? Wo fühlen Sie selbst, Ihre Familie oder Ihre Gäste sich besonders wohl, und welche Bereiche meiden oder »vergessen« Sie? Erst wenn alle Teile Ihrer Wohnung gleichmäßig genutzt werden, wird auch ein harmonischer Chi-Fluss entstehen. Jeder vernachlässigte Bereich führt zu Stagnation. Unbelebte Winkel und Ecken wirken ebenso als Chi-Bremse wie vollgestopfte Abstellräume, übermäßig möblierte Zimmer oder solche ohne Fenster. Die erste und einfachste Feng-Shui-Maßnahme ist daher das Entfernen des »Zuviels« sowie das Aufräumen und bewusste Aktivieren (→ Seite 24) vernachlässigter Bereiche.

»Schneidende« Energie

Energie ist nicht immer förderlich, sie kann auch belastend wirken. Im Feng Shui nennt man sie dann Sha oder Sha-Chi. Die Beobachtung hat gezeigt, dass sich überall dort, wo von Menschenhand unnatürliche Geraden erschaffen wurden, belastende Energien aufbauen. So kann die aggressive Hausecke eines Nachbarn oder eine schnurgerade Straße, die direkt auf das Haus zuläuft, ebenso Sha-Chi verursachen wie in der Wohnung eine scharfe Kante, ein langer Flur oder eine direkte Tür-Fenster-Verbindung. In einem solchen »Durchzug« sollte niemand arbeiten, sitzen oder schlafen, da Unruhe und Unbeständigkeit die Folge sein könnten. Durch den Einsatz von Pflanzen und Accessoires (→ Seite 24) können Sie Sha-Chi sanft bremsen, entschärfen und zu wohltuendem, gutem Chi werden lassen.

Treppen leiten Energie.

Das innere Feng Shui

Wie wichtig das äußere Umfeld für unser Wohlergehen ist, werden Sie beim Lesen der folgenden Kapitel immer wieder erfahren. Dennoch wirkt ein und dieselbe Umgebung nicht automatisch auf jeden Menschen gleich. Es hat sich herausgestellt, dass Personen, die ein fröhliches und positives Gemüt haben, ein störendes Nebenan weniger wahrnehmen. Wir können nämlich selbst entscheiden, wohin wir unsere Aufmerksamkeit – und somit unsere Energie – lenken. Wenn es uns gelingt, den Blick bevorzugt auf die aufbauenden und erfreulichen Dinge zu richten, wird die schwächende Wirkung eines belastenden Umfeldes nicht oder nur gedämpft zu uns durchdringen. Alle äußeren Feng-Shui-Maßnahmen können sogar auch durch die richtige Einstellung enorm gestärkt werden, denn Ihre positiven Gefühle, Gedanken und Vorstellungen sind die Werkzeuge des inneren Feng Shui.

Die Mitbewohner einbeziehen

Wenn Sie nicht alleine wohnen, sollten Sie alle Feng-Shui-Maßnahmen erst einmal mit den Mitbewohnern abstimmen. Bei Streit oder Unbehagen im Haus könnten nämlich die besten Feng-Shui-Hilfsmittel nicht mehr förderlich wirken. Gerade in der Familie wird eine von allen getragene Veränderung auch noch zusätzlich den inneren Zusammenhang kräftigen. Wenn eine Maßnahme allerdings nur für Sie persönlich gedacht ist, so können Sie durchaus in Ihrem ganz privaten Bereich eine entsprechende Veränderung vornehmen.

Yin und Yang

Gegensätzliche Paare

Für ein Leben in Harmonie sollten sowohl das äußere Umfeld als auch die verschiedenen Aspekte des persönlichen Lebens im Gleichgewicht sein. Eine gute Mischung aus Ruhe und Aktivität beispielsweise hilft, die eigene Entwicklung voranzutreiben und dennoch Erholung zu finden. Solche unterschiedlichen Impulse werden in China mit »Yin« und »Yang« bezeichnet. Alles in unserem Universum ist nach diesen gegensätzlichen, sich aber ergänzenden Prinzipien ausgerichtet. Sie finden sich im Wechsel von Tag und Nacht oder in der Aufeinanderfolge von Ein- und Ausatmen. Yin und Yang treten paarweise auf und sorgen gemeinsam für Harmonie und Ausgleich. Das Yin kann ohne das Yang nicht sein, die Dunkelheit nicht ohne die Helligkeit, Kälte gibt es nur, weil auch Wärme existiert, und ebenso ergänzen sich Weibliches und Männliches. Nichts ist ausschließlich Yin oder Yang, alles ist immer in Bezug zum Gegenstück zu sehen.

Eine Yin-betonte Wohnung.

Harmonisches Leben

Im Leben sollten sich die Yin- und die Yang-Phasen ausgleichen. So folgt der stürmischen Jugend (extremes Yang) die ausgewogenere Zeit des Erwachsenenalters (immer noch Yang, aber schon viel schwächer), später dominieren Beschaulichkeit und Ruhe (Yin). Auch im Tageslauf sollten sich die Arbeitsphasen mit Stunden der Ruhe abwechseln und innerhalb des Hauses die passiven, ruhigen Yin-Zonen (Schlafzimmer, Bad) mit den aktiveren Yang-Bereichen (Spiel- und Wohnzimmer, Küche). Das bewirkt ein harmonisches Leben, während sonst Trägheit und fehlende Motivation (zu viel Yin) oder Unruhe und Streit (zu viel Yang) vorherrschen.

Im Grunde genommen lassen sich alle Disharmonien Ihres Lebens auf eine sehr ungleichmäßige Verteilung von Yin und Yang zurückführen: Die Krankheit oder das Partnerproblem sind gewissermaßen der Versuch des Universums, das Gleichgewicht wiederherzustellen. Um solche unangenehmen Folgen zu vermeiden, sollten Sie rechtzeitig selbst für Ausgleich nach dem Yin-und-Yang-Prinzip sorgen. Feng-Shui-Maßnahmen können helfen, die nötige Balance wiederherzustellen, denn sie erzeugen in ruhigen Zonen Aktivität und wirken dort stabilisierend, wo bereits ein Zuviel an Dynamik vorhanden ist. Die meisten Pflanzen übrigens vereinigen beide Qualitäten harmonisch, einige Ausnahmen jedoch sind mehr Yin oder mehr Yang.

Yin	Yang
weiblich	männlich
weich	hart
reagierend	agierend
passiv	aktiv
dunkel	hell
Mond	Sonne
Regen	Sonnenschein
Winter	Sommer
sanfte Farben	aktive Farben
Tiger (s. rechts)	Drache (s. rechts)
abwärts	aufwärts
Tal	Berg
schwer	leicht

Eine helle Yang-Wohnung.

Die »Vier Himmlischen Tiere«

Um einen idealen Ort zu erklären, verwenden Feng-Shui-Meister gerne das symbolische Bild der »Vier Himmlischen Tiere«. Sie meinen damit, dass vier auch für den Laien leicht erkennbare Faktoren über das gute Feng Shui eines Platzes entscheiden. Der ideale Baugrund etwa benötigt Schutz nach hinten – diese »Schildkröte« kann ein Hügel, die Garage, ein Nachbarhaus oder auch die Hecke sein. Sie hält den Rücken frei und bringt Stabilität. Zur linken Seite (Blickrichtung von innerhalb des Hauses nach vorne) sorgt der »Drache« – also die ausreichend dichte Bepflanzung an Ihrer linken Grenze oder ein Gebäude – für zusätzlichen Halt. Gegenüber, also rechts auf dem Grundstück, erfüllt der »Tiger« seine ebenfalls stabilisierende Aufgabe. Er ist aber sanfter und niedriger als sein Partner, der Drache. Rechts sind die Pflanzen daher nicht so hoch, und auch ein Nebengebäude sollte hier kleiner sein. Am wichtigsten ist aber die Vorderseite, sie gehört dem mythologischen Feuervogel »Phönix«: Der ideale Bauplatz hat daher eine schöne Aussicht, am besten wäre ein Blick auf erfrischendes Wasser. Wie in einem bequemen Lehnstuhl sollte das Haus stabil in der Landschaft ruhen.

Die Gestaltung der Räume

Dieses Lehnstuhlprinzip lässt sich auch auf die Wohnung übertragen: Die wichtigste Blickrichtung mit der attraktivsten Aussicht oder die Seite mit den größten Fensterflächen wird zur Vorderseite erklärt. Von hier »atmet« die Wohnung die meisten Energien des Umfeldes ein, daher sollte diese Richtung stets so offen gestaltet werden, dass genügend Chi ins Haus fließen kann. Seitlich braucht es eine gute Mischung aus Offenheit und Stabilität, und nach hinten sollten die wenigsten Fenster und Türen sein.

Das Lehnstuhlprinzip mit den Vier Himmlischen Tieren ist auch in der Wohnung gültig.

Die Fünf Elemente und ihre Zyklen

Aus der Natur,

nach welcher

Seite

man auch

schaue,

entspringt

Unendliches.

Johann Wolfgang von Goethe

Unterschiedliche Energieformen

Um in Harmonie zu leben, benötigen wir eine ausgewogene Mischung verschiedener Energien. Abgeleitet von der Naturbeobachtung hat sich im Feng Shui eine Methode durchgesetzt, die allem, was uns umgibt, fünf grundlegend verschiedene Energieformen zuordnet. Diese »Fünf Elemente« (auch Wandlungen genannt) stellen Symbole dafür dar, wie die verschiedenen Energien und ihre Eigenschaften miteinander in Beziehung stehen. Umschrieben werden sie mit den Begriffen Holz, Feuer, Erde, Metall und Wasser, wobei sich hinter diesen Namen viel mehr verbirgt als nur die materielle Zuordnung. Wann immer Sie ein Grundstück, Haus oder Zimmer betrachten, nehmen Sie bewusst oder unbewusst die dort in Material, Form und Farbe vorhandenen Elemente wahr. Wenn deren Mischung ausgewogen ist, kann Gleichgewicht und Harmonie einkehren, dominiert aber ein Element, ist für Ausgleich zu sorgen.

Zyklus der Schöpfung – »Holz nährt Feuer«

Der Zyklus der Schöpfung beschreibt, wie die einzelnen Elemente harmonisch ineinander übergehen, sich (ver)-wandeln: Holz nährt das Feuer, Feuer wird zu Asche und düngt die Erde, in der Erde ensteht Metall, dieses reichert Wasser an, Wasser wiederum sorgt für das Wachstum von Holz. Ebenso wie der Geburt das Wachstum und dem Frühjahr der Sommer folgt, kommt nach dem Osten der Süden. Solange das Chi harmonisch von einem Element zum nächsten fließt, kann ein Gleichgewicht entstehen. Ein gestörter Kreislauf würde zu Krankheiten oder Problemen führen.

Zyklus der Kontrolle – »Wasser löscht Feuer«

Dieser Zyklus ist gleichermaßen wichtig, denn über ihn kontrollieren sich die einzelnen Elemente gegenseitig und »passen auf«, dass keines überhand nimmt: Holz (Wurzelwerk) durchdringt Erde, Erde begrenzt Wasser, Wasser löscht Feuer, Feuer schmilzt Metall, Metall schneidet Holz. Eine zu starke Dominanz kann zur Zerstörung führen. Harmonie tritt dann ein, wenn ein Element das übernächste des Schöpferischen Zyklus ausreichend kontrolliert und wenn es selbst wiederum vom vorletzten Element (→ Zeichnung) kontrolliert wird.

Das Element Holz ist dem Frühling und dem Osten zugeordnet. Es steht für hohe und aufstrebende Formen, die Farben Grün und Türkis, die Geburt und die Eigenschaften verwurzelt, stark und elastisch.

Das Element Feuer ist dem Sommer und dem Süden zugeordnet. Es steht für spitze und scharfkantige Formen, die Farben Rot und Rosa, das Wachstum sowie die Eigenschaften trocken, heiß und bewegend.

Das Element Erde ist dem Spätsommer und der Mitte zugeordnet. Es steht für flache Formen, die Farben Gelb, Orange und Braun, die Umwandlung sowie die Eigenschaften fruchtbar und ergiebig.

Das Element Metall ist dem Herbst und Westen zugeordnet. Es steht für runde und kuppelförmige Formen, die Farben Weiß, Silber und Gold, die Ernte sowie die Eigenschaften hart und schneidend.

Das Element Wasser ist dem Winter und Norden zugeordnet. Es steht für wellige und unregelmäßige Formen, die Farben Schwarz und Dunkelblau, die Lagerung und die Eigenschaften fließend, nass und kühlend.

Die Elemente im Haus

Eine gut gestaltete Wohnung und ein schöner Balkon sollten alle Fünf Elemente in einem möglichst ausgewogenen Verhältnis enthalten. Dies gewährleistet eine gesunde, stimulierende Atmosphäre. Wenn Sie sich in Ihrer Wohnung unwohl fühlen oder einige der Räume etwas trostlos wirken, kann dies viele äußere Ursachen haben, aber es herrscht immer auch ein Ungleichgewicht der Elemente.

Wohnungs-Diagnose

Welches Element überwiegt in Ihrer Wohnung? Weiß getünchte Wände, graue oder anthrazitfarbene Möbel und viele metallische Oberflächen erzeugen einen Überschuss an »Metall«. In einem solchen Umfeld fehlt es oft an Gemütlichkeit. Pflanzen, bunte Farben, weiche und kuschelige Materialien, auch Wasserobjekte würden für Ausgleich sorgen. Versuchen Sie, Extreme zu erkennen, und treffen Sie Gegenmaßnahmen, bevor Sie die Folgen der Einseitigkeit in Ihrem Leben erfahren. So könnte beispielsweise ein Übermaß an »Feuer« zu Rastlosigkeit führen, während ein Feuermangel introvertiert und schüchtern macht. Ein Zuviel an Erde lässt einen Menschen stets nur den eigenen Vorteil suchen, ein Defizit an Erde kann jedoch im Gegensatz dazu übertriebenes Aufopferungsverhalten fördern. Untersuchen Sie Ihre Wohnung nach Einseitigkeiten in Form, Farbe und Materialien, entfernen Sie das »Zuviel« und schaffen Sie Ausgleich durch Pflanzen und Accessoires, die dazu passen. Wenn Sie dabei auf Ihre Intuition achten und ein bisschen experimentieren, werden Sie schnell eine völlig neue Energiequalität in Ihrer Wohnung verspüren. Denn jede Änderung im Wohnumfeld bewirkt zwangsläufig auch eine Veränderung des inneren Wohlbefindens.

Die Neun Bagua-Zonen

Ein Spiegel des Lebens

Nichts in Ihrem Leben ist zufällig, und auf unsichtbare Weise ist alles im Universum miteinander verbunden. Auch die Form des Grundrisses Ihrer Wohnung und die Art, wie Sie die einzelnen Räume gestalten und nutzen, hat eine tiefere Bedeutung und auch ihre Wirkungen. Für die Analyse Ihrer Wohnung gibt es ein gut verständliches Hilfsmittel: Das sogenannte Bagua, wörtlich übersetzt bedeutet dieses Wort »Der Körper des Drachen«. Es ist eine Art »Lebens-Lageplan«, ein Raster, das Sie wie eine Schablone über den Grundriss der Wohnung und auch aller Ihrer Zimmer legen können.

Jeder Abschnitt der insgesamt neun Teile des Bagua symbolisiert einen wichtigen Bereich Ihres Lebens: Die Zonen Kinder, Partnerschaft oder Familie zeigen an, wie es um den jeweiligen Abschnitt in Ihrem Leben bestellt ist. Die weiteren Zonen sind mit den schon recht aussagekräftigen Namen Karriere, Wissen, Ruhm, Reichtum, Hilfreiche Freunde und Zentrum (Tai Chi) versehen. Entscheidend ist stets, dass in allen Abschnitten ausreichend Chi fließen kann. In der idealen Wohnung sollten alle neun Zonen vollständig vorhanden sein – ein Rechteck oder Quadrat ist daher der günstigste Grundriss. Aber auch bei unregelmäßig aufgeteilten vier Wänden und völlig fehlenden Bagua-Zonen gibt es Hilfe.

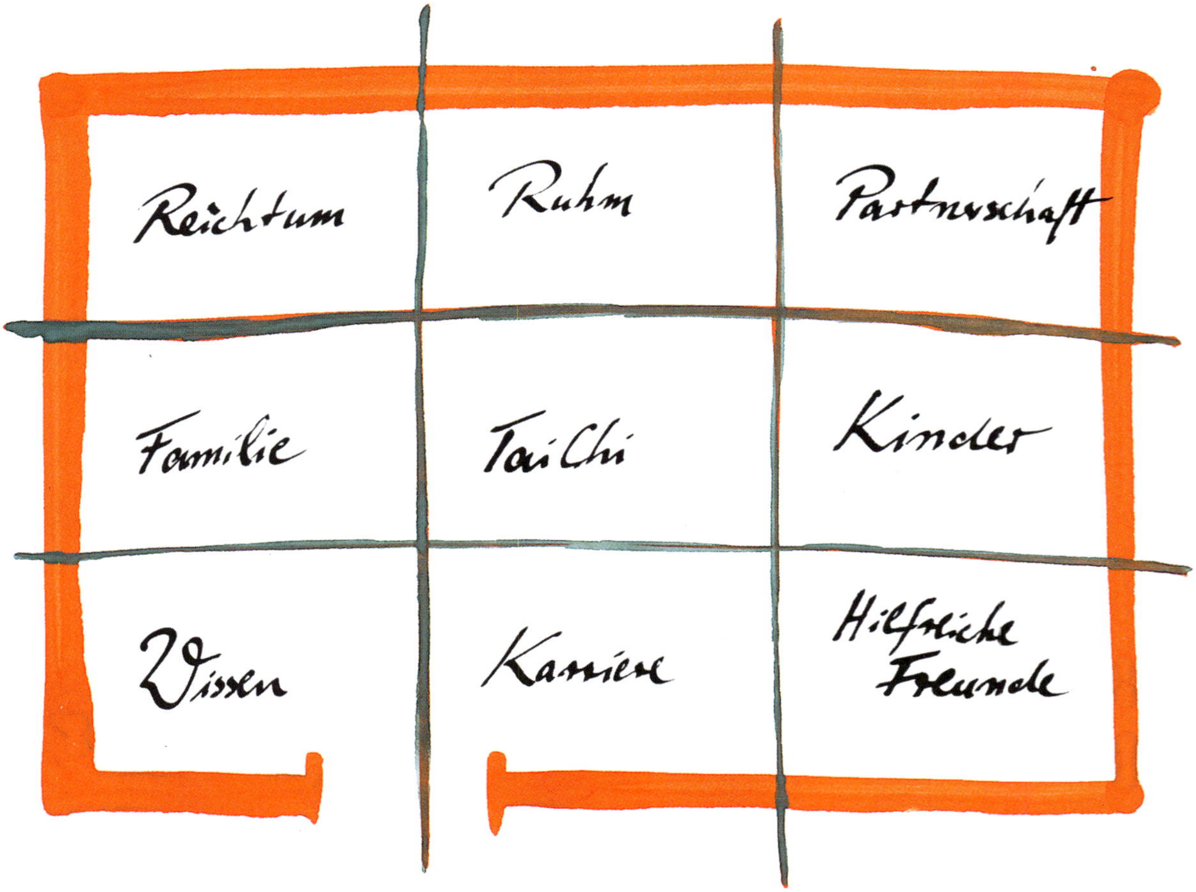

Das Bagua, mit dem Ihre Wohnung in neun Zonen unterteilt werden kann.

Symbolik und Aussage

Wenn bei Ihnen alle Bagua-Zonen vollständig vorhanden sind, dann sind die wichtigen Lebensbereiche zunächst vom Potenzial her ausreichend angelegt. Ob Sie dann aber auch Ihre Anlagen und Fähigkeiten wirklich »ausspielen«, hängt sehr davon ab, wie gut Sie die Energie in die einzelnen Zonen hinein- und herausfließen lassen. Es lohnt sich daher ein prüfender Blick in alle Bereiche Ihrer Wohnung. Gibt es dunkle oder ungenutzte Abschnitte, ist ein Teil vollkommen überladen und ein anderer eher kahl? Jedes Detail Ihrer Wohnung hat am jeweiligen Platz eine spezielle Symbolik. Unordnung in der Partnerecke etwa lässt auf eine chaotische Beziehung schließen. Und wenn sich in Ihrer Familien-Zone vorwiegend alte Sachen türmen, dann könnte das ein Hinweis darauf sein, dass vieles im Verhältnis zu Ihren Eltern noch bereinigt und aufgearbeitet werden muss.

Ein leise plätschernder Zimmerbrunnen passt in einer geräumigen Wohnung auch ins Zentrum.

Pflanzen als Zeiger

Denken Sie daran, dass nichts rein zufällig so ist und auch eine äußere Erscheinung immer auch ein Symbol und ein Hinweis für eine innere Veranlagung ist. Daher zeigen Pflanzen, die an einem ganz bestimmten Platz stehen, sehr schnell, wenn dort etwas nicht stimmt. Neben den Wasseradern, elektrischem Strom oder Strahlen aus geopathogenen Zonen wirken noch viele weitere Einflüsse auf die Pflanzen ein. Gutes Chi an einem Platz lässt zum Beispiel Pflanzen hervorragend gedeihen – sie sind somit der Spiegel einer kraftvollen Energie und zeigen an, dass auch die zugehörige Bagua-Zone positiv geladen ist. Wenn aber an einer bestimmten Stelle Gewächse immer wieder kümmern, sollten bei Ihnen die Alarmglocken schrillen. Dies zeigt an, dass auch der betroffene Abschnitt des Bagua »krank« und schwach ist. Daher sollten Sie sich um die Pflanze kümmern (→ Seite 84/85) und gleichzeitig den der Bagua-Zone zugeordneten Lebensbereich verbessern. Wenn sie in der Partnerschaftsecke steht, dann befassen Sie sich am besten intensiver mit der Lösung aktueller Partnerprobleme. Wenn sie in der Kinderzone kränkelt, kann es sich um das Thema Kinder oder auch um Kreativität handeln. Genaueres zu den Zonen finden Sie ab Seite 68. Grundsätzlich gilt: Alles Auffällige und Ungewöhnliche in einer Bagua-Zone sollte mit Wachsamkeit verfolgt werden, um eventuelle Probleme so schnell wie möglich durch ausgleichende Feng-Shui-Maßnahmen abfangen zu können. Umgekehrt haben Sie die Möglichkeit, ein aktuelles Lebensthema gezielt dadurch zu unterstützen, dass Sie die zugehörige Bagua-Zone aufwerten.

Das Bagua richtig anwenden

Zeichnen und Anlegen

Am genauesten ermitteln Sie die Lage der einzelnen Bagua-Zonen in Ihrer Wohnung mit Hilfe eines Planes. Es reicht, wenn Sie eine maßstabsgerechte Skizze anfertigen. Ist ein Wohnungsgrundriss bereits vorhanden, machen Sie davon einfach eine Fotokopie. Mit Hilfe von Lineal und Farbstift teilen Sie nun den Wohnungsplan in insgesamt neun gleich große Teile ein. Dazu dritteln Sie sowohl die Breit- wie auch die Längsseite und verbinden diese Punkte durch waagrechte und senkrechte Linien. Jetzt brauchen Sie nur noch die einzelnen Zonen zu benennen. Beachten Sie dabei, dass die Grundlinie mit den Bereichen Wissen, Karriere und Hilfreiche Freunde immer an der Mauer mit der Eingangstür liegt. Diese ist der »Mund des Chi« und prägt die weitere Energieverteilung. Bei einem Einfamilienhaus orientieren Sie sich an der Haustür, bei einer Wohnung am Wohnungseingang. Wenn Sie mehrere Stockwerke bewohnen, sollten Sie die Etagen getrennt betrachten, denn jedes Obergeschoss besitzt ein eigenes Bagua: Hier wird immer der obere Treppenabsatz als »Eingang« betrachtet.

Kein Rechteck?

In der idealen Wohnung sind alle Zonen des Bagua vollständig vorhanden, dies ist bei einer rechteckigen oder quadratischen Form immer der Fall. Was aber, wenn Ihr Grundriss kein harmonisches Rechteck ist, sondern beispielsweise eine L- oder U-Form? Dann müssen Sie ihn zunächst mit Hilfe des Stifts zu seiner rechteckigen oder quadratischen »Urform« vervollständigen. Unregelmäßige Wohnungsgrundrisse haben entweder

1. Der Erker wirkt als hilfreiche Erweiterung.

»Fehlbereiche« oder »Erweiterungen« im Bagua. So kann etwa ein Erker eine günstige Erweiterung bewirken, die Extra-Chi in der zugehörigen Zone aktiviert (→ Zeichnung 1), während ein größerer Zubau, beispielsweise ein Wintergarten, den Grundriss so verändern kann, dass an einer anderen Stelle eine fehlende oder unvollständige Bagua-Zone entsteht. Außen liegende und nicht für Wohnzwecke nutzbare Bereiche wie angebaute Garagen (→ Zeichnung 2), Schuppen, Balkone und Terrassen werden nicht dazugezählt. Nach der traditionellen Lehre liegt ein vorstehender Balkon folglich beim Einzeichnen der Zonen außerhalb des Bagua. Dennoch kann ein schön gestalteter und gut genutzter Balkon so viel zusätzliche Energie aktivieren, dass er wie eine kleine »hilfreiche Erweiterung« wirkt. Er ist nicht nur eine Augenweide, sondern bringt noch zusätzliches Chi in Ihr Leben.

Fehlbereich oder hilfreiche Erweiterung?

Ob es sich um einen Fehlbereich oder eine Erweiterung handelt, zeigt das Größenverhältnis zum Kernteil:

- Ist der vorragende Abschnitt entweder in der Länge oder/und in der Breite halb so groß oder größer als der Kernbereich, muss er zum Bagua dazugezählt werden (→ Zeichnungen 3 und 4). Dadurch fehlt mindestens ein Bereich, und es entsteht dort ein Defizit, das durch geeignete Maßnahmen (s. u.) ausgeglichen werden sollte.

2. Die unbewohnte Garage gilt nicht als Erweiterung.

• Liegt ein vorstehender Teil sowohl in der Länge als auch in der Breite unter 50 % des Hauptteiles, so liegt er außerhalb des Bagua und verstärkt die Zone, aus der er hervorragt. Eine solche Erweiterung (→ Zeichnung 1) weist oft auf eine besondere Stärke des dort wohnenden Menschen hin. Sie ist meist hilfreich und braucht nicht ausgeglichen werden. Lediglich eine erweiterte Wissens-Zone und eine sehr große Erweiterung in der Ruhm-Zone verlangt nach Kompensation (→ Seite 78/79).

• Liegt die als »Mund des Chi« fungierende Eingangstür nach innen versetzt, verursacht dies immer einen Fehlbereich (→ Zeichnung 5).

3. L-förmiger Grundriss, bei dem die Reichtums-Zone fehlt.

Fehlbereiche ausgleichen

Wenn das Bagua Ihrer Wohnung nicht vollständig ist, haben Sie folgende Möglichkeiten, diese Fehlbereiche auszugleichen:

• Wenn Ihnen der Garten ums Haus gehört, können Sie außen direkt im Fehlbereich eingreifen: Betrifft er eine der vier Eckzonen (→ Zeichnung 3), so pflanzen Sie genau in die fehlende

4. U-förmiger Grundriss, bei dem ein Teil der Kinder-Zone fehlt.

Ecke (Schnittpunkt der auf dem Plan ergänzten Linien) einen kräftigen Strauch oder – wenn genügend Platz vorhanden ist – einen nicht zu hoch wachsenden Baum. Bei den vier anderen Zonen – oft liegen dort Terrasse, Balkon oder Treppenhaus – liegen die zu aktivierenden Punkte im Idealfall auf der von Hand ergänzten Verbindungslinie (→ Zeichnung 4). Stellen Sie dort kräftige, am besten immergrüne Kübelpflanzen auf (zum Beispiel Buchs, *Buxus sempervirens*, oder Spindelstrauch, *Euonymus japonica*). Wenn das nicht möglich ist, platzieren Sie die Pflanzen zumindest auf die Fläche des Fehlbereiches. Sie können selbstverständlich auch Gewächse nehmen, die für die betroffene Zone ideal sind (→ Seite 134/135), je mehr »grünes Chi« Sie unterbringen können, desto günstiger. Auch Licht, fließendes Wasser oder eine attraktive Statue würden gut passen. Außerdem sollten Sie den Bereich so oft wie möglich selbst nutzen und somit beleben: Ein Sitzplatz, eine Grillstelle oder auch eine Kinderspielecke wirken zusätzlich aktivierend.

• Wenn Sie außerhalb der Wohnung keine Möglichkeit haben, können Sie innen an der Wand zum Fehlbereich eingreifen. Diese Lösung wird »Innen« und »Außen« verbinden: Befestigen Sie einen Spiegel an dieser Wand, er »öffnet« sie und erweitert optisch den Raum in den fehlenden Teil hinein. Besonders günstig ist es, wenn der Spiegel gleichzeitig das lebendige Chi blühender (Balkon-)Pflanzen ins Zimmer spiegeln kann (→ Seite 47). Öffnend wirkt auch ein Landschaftsbild mit weitem Blick in die Ferne.

• Sie können alternativ in einem anderen Zimmer Maßnahmen ergreifen, diese Lösung ist sogar oft am einfachsten durchzuführen. Da jeder einzelne Raum ein eigenes Bagua aufweist, aktivieren Sie hierbei ersatzweise die entsprechende Bagua-Zone eines beliebigen Wohnraumes. Fehlt beispielsweise die Zone »Partnerschaft«, so könnten Sie einfach die Partnerecke des Schlafzimmers besonders liebevoll gestalten und beleben, zum Beispiel mit Ihren Lieblingspflanzen.

5. Eine nach innen versetzte Eingangstür verursacht einen Fehlbereich.

Pflanzen und Accessoires als Helfer

Chi zum Fließen bringen

Bereits der römische Denker Juvenal kam zu der heute viel zitierten Erkenntnis »Mens sana in corpore sano« – ein gesunder Geist in einem gesunden Körper. Im übertragenen Sinn zeigt uns dieser Spruch, wie wichtig für den Menschen auch ein gesunder »Wohnungs-Körper« ist. Unsere vier Wände sollten möglichst viel kraftvolles Chi enthalten und der Energiefluss auch nicht durch Hindernisse blockiert werden. Um energetische Unausgewogenheiten, Schwächen oder Fehlzonen innerhalb Ihres Hauses oder Ihrer Wohnung auszugleichen, stehen Ihnen verschiedenste Methoden und Hilfsmittel zur Verfügung. Wie in der Akupunktur können an den richtigen Stellen gesetzte Maßnahmen das Chi überall dort ins Fließen bringen, wo Bedarf besteht. Im Prinzip ist jeder beliebige Gegenstand, etwa eine ausgewählte Pflanze, ein Möbelstück oder eine bestimmte Farbe in der Lage, für frisches Chi in Ihrem Umfeld zu sorgen. Wählen Sie grundsätzlich nur solche Maßnahmen, zu denen Sie eine besondere Beziehung haben, die Sie einfach schön finden oder die in Ihnen eine angenehme Erinnerung wecken.

Vielfalt der Hilfsmittel

Das eine oder andere Hilfsmittel zur Aktivierung des Chi-Flusses in Ihrer Wohnung haben Sie wahrscheinlich bereits zu Hause, Sie müssen es nur richtig einsetzen. Die im weiteren Verlauf dieses Buches vorgestellten Ideen und Tipps sollen Ihnen ein Gefühl dafür vermitteln, wie Sie Ihre eigenen Vorstellungen und Wünsche in die Feng-Shui-Umgestaltung einfließen lassen können. Die Wirkung wird übrigens dann am stärksten sein, wenn Sie mit den Lösungen emotional verbunden sind. Mittlerweile haben sich aber auch einige Standardlösungen durchgesetzt, die sehr vielseitig eingesetzt werden können. Die wohl wichtigsten und am weitesten verbreiteten Feng-Shui-Hilfsmittel sind Pflanzen. Sie finden sich zu Recht in praktisch jeder Wohnung, denn sie sind nicht nur schön, sondern sie erfüllen auch vielfältigste Zusatzaufgaben. Wo Pflanzen nicht eingesetzt werden können, oder wo eine ergänzende Unterstützung gewünscht wird, kommen die »klassischen« Hilfsmittel ins Spiel wie Regenbogenkristalle, Zimmerbrunnen, Klangspiele und DNS-Spiralen (→ Seite 24f). Sie steigern die Raumenergie, verhindern Chi-Verlust oder wirken stabilisierend auf Raum und Menschen.

Tipps zur Auswahl

Überlegen Sie zunächst, was Sie mit einer Feng-Shui-Lösung überhaupt bezwecken möchten. Wenn Sie nämlich genau wissen, was Sie wollen, können Sie oft aus mehreren verschiedenen Lösungen wählen. Achten Sie bei der Auswahl der Hilfsmittel unbedingt auf Ihre Gefühle und verändern Sie nicht gleich die ganze Wohnung. Es ist viel sinnvoller, zunächst nur mit einer Sache zu beginnen, dann können Sie auch die wohltuenden Wirkungen dieser Maßnahme viel besser verfolgen. Erst nach und nach – aber immer mit Bedacht und nichts übertreiben! – »fengshuien« Sie den Rest der Wohnung. Diese sollte nach der Umgestaltung aber nicht aussehen wie ein China-Restaurant. Verwenden Sie daher unserer westlichen Welt angepasste Hilfsmittel und Werkzeuge, die Ihrem Geschmack und auch dem Stil Ihrer Wohnung entsprechen.

Die Kraft der Pflanzen

Unsere grünen Helfer

Haben Sie eine besondere Beziehung zu Pflanzen, und selbst unter widrigen Bedingungen gedeihen Ihre grünen Lieblinge ganz hervorragend? Wenn es in der Wohnung von Menschen mit »grünem Daumen« blüht und gedeiht, dann ist in diesen Räumen das Umfeld-Chi besonders hoch. Hier profitieren alle Bewohner von der lebendigen Vitalkraft der Balkon- und Zimmerpflanzen. Sie sind die grünen Lungen der Wohnung und sollten möglichst zahlreich Ihre Räume und damit auch Ihr Leben bereichern.

Die Pflanzenkraft geschickt nutzen

So richtig profitieren von der Vitalenergie der Pflanzen können Sie nur, wenn Ihre grünen Mitbewohner über das gesamte Jahr gesund und in gutem Zustand bleiben. Solche Pflanzen sind Symbole für Wachstum, Gedeihen, Erneuerung, Kraft und Vitalität, kranke Pflanzen jedoch zeigen stagnierendes Chi. Wenn sie krank werden, steckt dahinter immer eine Botschaft für den Besitzer. Da alles miteinander verbunden ist, kann das plötzliche Absterben einer Pflanze nicht grundlos geschehen. Und selbst wenn Sie eine plausible äußere Erklärung finden (zu wenig oder zu viel gegossen, schlechter Standort, Blattläuse…), dürfen Sie nicht übersehen, dass auch dies nur ein Teil einer längeren Ursachenkette ist, welche wiederum mit Ihnen in Resonanz steht (→ Seite 16/17). Schließlich sind es Ihr Balkon, Ihre Wohnung und Ihre Pflanze. Eine Krankheit kann daher größere Unausgewogenheiten im Leben der Hausbewohner ankündigen – Auswirkungen der bestehenden Stagnation des Chi. Insofern lohnt es sich, genau zu hinterfragen, wann, wo, in welchem Zusammenhang welche Pflanze wie reagierte. Bei der Analyse der Zusammenhänge kann das Bagua wertvolle Hinweise geben: In welcher Zone befindet sich die kranke Pflanze, und was tut sich gerade im zugeordneten Lebensbereich?

Die Pflanzen bringen den Frühling ins Haus.

Heilen ist besser als Wegwerfen!

Wenn Ihre Pflanzen kränkeln, sollten Sie sich ganz besonders um sie kümmern (→ Seite 84/85). Dann werden Sie nicht nur viel Freude an ihnen haben, sondern auch Ihr Leben wird dadurch mehr Energie und Stabilität bekommen. Kranke Pflanzen einfach wegzuwerfen wäre sehr kurzsichtig, es würde bedeuten, dass Sie lediglich das äußere Symptom eines innerlich vorhandenen Defizits entfernen, aber sich nicht um die Verbesserung der Problematik kümmern.

Lebende oder getrocknete Pflanzen?

Um mehr Chi in die Wohnung zu bringen, sind Blütenpflanzen ideal, sie symbolisieren die Fülle und den Überschwang und unbändige Lebenskraft. Was aber tun, wenn aus Lichtmangel oder anderen Gründen keine Pflanzen gedeihen würden?

»Pflanzen-Power« auf dem Balkon.

- Frische Schnittblumen sind ideale Hilfsmittel, um das Chi sofort zu heben. Sorgen Sie deshalb immer für etwas Blühendes in Ihren Räumen. Ein prachtvoller Blumenstrauß kann einen Raum enorm aufwerten und das Lebensgefühl steigern. Um jedoch nicht unnötigerweise die Ausstrahlung der Vergänglichkeit zu aktivieren, sollten die Blüten stets frisch sein.
- Seiden- und Holzblumen sind nur symbolisch ein Ersatz für lebende Pflanzen, aber sie erzeugen zumindest den Eindruck von Natur und Lebendigkeit – auch dies wirkt förderlich auf das Unterbewusstsein der Menschen.
- Trockenblumen hingegen strahlen die Symbolik von vertrocknetem Leben aus und sollten nicht zu oft verwendet werden. Aber: In einer Wohnung, in der auch gesunde Zimmerpflanzen zu finden sind, lassen sich der getrocknete Hochzeitsstrauß oder ein anderes schönes Gesteck durchaus stimmungsvoll integrieren. Werfen Sie also jetzt nicht gleich alle Trockenblumen weg – schließlich ist alles immer auch eine Frage des richtigen Maßes.

Vorsicht spitz!

Der Aufenthalt neben spitzen und aggressiven Formen kann beunruhigen und auf manche Menschen eine irritierende Auswirkung haben. Deshalb sollten Sie spitzblättrige Pflanzen (etwa Yucca-Palmen) oder stachelige Gewächse (Kakteen) nicht unmittelbar neben Sitz-, Schlaf- oder Arbeitsplätzen ziehen. Auch für enge Flure oder das Treppenhaus sollten Sie Pflanzen mit weichen Formen bevorzugen.

Accessoires beleben Grünpflanzen.

Pflanzen richtig einsetzen

Nicht nur als Chi-Anheber, auch als Problemlöser eignen sich Pflanzen ganz hervorragend, wie Sie im folgenden Kapitel sehen werden. Am Balkon können sie helfen, unerwünschte Störeinflüsse und Blicke fern zu halten. Im Innenbereich aktivieren sie unbelebte Raumecken und harmonisieren schneidende Kanten. Sie helfen auch, Energieverlust bei Fenstern zu vermeiden, insbesondere Wintergärten profitieren energetisch von ihrer Anwesenheit. Allerdings sollten Pflanzen die Fenster nicht zu stark blockieren – der Chi-Fluss würde sonst darunter leiden.

Miniteich mit der Kraft des Wassers.

Hilfe durch Accessoires

Eine Frage des Aufwands

Bereits das Verrücken der Möbel verändert spürbar den Raum, und wenn Sie eine dunkle Ecke ausleuchten, wird sie plötzlich »lebendig«. In jeder Wohnung gibt es Schwachstellen, und meist können diese nicht durch Umbau verändert werden. Daher verwendet Feng Shui spezielle Hilfsmittel, die Probleme ohne viel Aufwand lösen können. Bevor Sie sich aber ans große Verändern machen, sollten Sie die wichtigste Maßnahmen vorweg tun: Entrümpeln, aufräumen und sauber machen sind die gemeinsame Grundlage für den Erfolg aller Feng-Shui-Maßnahmen.

Westliche Werkzeuge

Analysieren Sie zunächst Ihr Problem. In der folgenden Liste finden Sie die wichtigsten Hilfsmittel nach ihren Wirkungen zusammengefasst. Sobald Sie das Prinzip verstehen, können Sie sogar individuelle Lösungen erfinden. Beachten Sie aber, dass in unserer Kultur westliche Accessoires passender sind als etwa traditionell chinesische wie Bambusflöten oder Fächer.

Energiefluss anregen

Neben Aufräumen bewirken dies alle Accessoires mit fließendem Wasser (Zimmerbrunnen) und auch Bilder, deren Motive fließende Energie darstellen (Wasserfälle).

Stagnation aufheben

Hier helfen Objekte, die sich bewegen, wie Mobiles und Windräder. Auch Licht bringt gestaute Energie ins Fließen.

Unruhe stabilisieren

Gut wirken alle schweren Gegenstände wie Möbel, Stein- oder Keramikfiguren, Blumentröge und massive Bauelemente. Sie bremsen allzu schnelle und unbeständige Energieflüsse.

Drückendes aufheben

Folgende Hilfsmittel sorgen mit nach oben strebenden Energien für Ausgleich: nach oben strahlendes Licht, von unten nach oben heller werdende farbliche Gestaltung, vertikale Tapetenmuster, senkrechte Vertäfelung, Bilder mit nach oben weisenden oder luftigen Motiven, Pflanzen mit aufstrebendem Wuchs, Säulen und Figuren, deren Gestik nach oben weist.

Lebensenergie aktivieren

Neben ausreichend Sauerstoff und genügend Luftfeuchtigkeit (lüften!) sind die wirksamsten Lebensenergiespender üppige Pflanzen und DNS-Spiralen. Auch Kristalle verändern spürbar die Raumschwingung.

Bergkristalle aktivieren und verteilen Chi.

Luftionisation verändern
Eine energiereiche Atmosphäre wie neben einem Wasserfall bewirken gesunde und kräftige Pflanzen, gut gepflegte Zimmerbrunnen und Aquarien sowie Salzkristalllampen (Bezugsquelle Seite 142).

Räume »öffnen«, Fehlbereiche ausgleichen
All dies können Spiegel, Spiegel- oder Rosenkugeln und Bilder mit »Weitblick«.

Mobiles bringen Energie zum Fließen.

Übersicht schaffen
Wenn Sie z. B. mit dem Rücken zur Tür arbeiten oder sitzen, verschafft Ihnen ein Spiegel am Schreibtisch oder der Wand Übersicht.
Oder Sie befestigen ein Klangspiel an der Tür – und ab nun hören Sie, wenn jemand hinter Ihnen den Raum betritt.

Chi lenken
Durch Bodenmuster, Teppiche, Möbel, Farbverläufe, auffallende Bilder oder Objekte sowie durch Licht kann die Aufmerksamkeit und somit der Chi-Fluss gezielt gelenkt werden.

Chi-Verlust stoppen
Hierfür eignen sich größere Pflanzen, Klangspiele, Regenbogenkristalle, Mobiles, Lampen, Raumteiler, Paravents oder kleine Spiegel an der Problemtür, sie strahlen das Chi wieder in den Raum zurück.

Zentrum schaffen
Eine DNS-Spirale, ein Regenbogenkristall oder natürliche Kristalle helfen, das Zentrum zu stabilisieren, ebenso wie die Mitte betonende Decken- oder Bodenmuster, Teppiche und Leuchter. Wo er passt, darf es durchaus auch ein prächtiger Kristall-Lüster sein.

Aufstrebende Figuren heben Drückendes auf.

Vor Sha-Chi schützen
Aggressive Energien sollten entweder durch Pflanzen oder eine Schutzwand abgeschirmt oder durch ein Windrad zerstreut werden. Auch mit Rosenkugeln, Regenbogenkristallen oder Konvexspiegeln reflektieren Sie das Sha-Chi.

Lustige Accessoires vertreiben Stagnation.

Handle,
doch
nie der
Natur
zuwider.

Lao Tse

Wohnung und Balkon geschickt verändern

Lösen Sie kleine und große Probleme mit einfachen Mitteln.

Licht in Haus und Balkon ausgleichen

Sonne und Energie

Die Lage eines Hauses oder einer Wohnung hat großen Einfluss auf die Bewohner: Je freier, direkter und länger die Sonne in ein Haus einstrahlen kann, desto aktivere und dynamischere Yang-Energien (→ Seite 12) befruchten und beleben das Haus mitsamt allen darin lebenden Menschen. Umgekehrt leidet eine Wohnung sehr darunter, wenn sie zu wenig oder gar keine direkte Sonnenbestrahlung erhält. Solange sich Schatten und Licht die Waage halten, herrscht ein Gleichgewicht von Yin und Yang. Allerdings darf und sollte auch in den gemäßigten Zonen Mittel- oder Nordeuropas durchaus etwas mehr Sonne und somit Yang-Energie in die Wohnung eindringen als beispielsweise in den ohnehin sehr heißen und oft wolkenlosen Klimazonen des Südens. Dort müssen zum Ausgleich gegen die übermäßig strahlende Sonne die Wohnungen sogar recht Yin-betont, also gut schattiert und dunkler gestaltet werden.

Das Wohnzimmerfenster

Der wichtigste und aktivste (Lebens-)Raum in einer Wohnung ist im Normalfall das Wohnzimmer. Hier versammelt sich die Familie, hier werden Gäste empfangen, und hier finden im Jahreslauf alle wichtigen Familienfeste und Partys mit Freunden statt. Ist das Wohnzimmer jedoch der direkten Sonnenbestrahlung allzu unmittelbar ausgesetzt, verbleichen nicht nur Teppiche und Böden unter der übermäßigen Hitze, es kann auch sein, dass das Wohnzimmer in den Sommermonaten als zu heiß und stickig oder einfach als »irgendwie unangenehm« empfunden wird. Dann weicht die Familie in einen anderen Raum aus, und das Wohnzimmer verliert an Bedeutung. Wie und warum Sie zu aggressive Sonnenbestrahlung ausgleichen sollten, erfahren Sie auf den folgenden Seiten. Sie finden dort aber auch, was Sie tun können, wenn Ihre Wohnung unter Lichtmangel leidet: Dann sollten Sie für »öffnenden« und »strahlenden« Feng-Shui-Ausgleich sorgen. Sie werden übrigens recht bald merken, wie sinnvoll diese Maßnahmen sind: Wenn wieder ausreichend Yang-Schwingungen das Umfeld aktivieren, wird auch mehr Lebensfreude und Lachen, Dynamik und Esprit Ihr Leben bereichern.

Der Balkon

Ein schön gestalteter Balkon versorgt Sie in den Übergangszeiten des Frühjahrs und Herbstes und vor allem im Sommer mit zusätzlichem Chi. Bei guter Nutzung kann er bei Ihnen so manch ungenutztes und bisher brachliegendes Potenzial erschließen. Daher sollten auch auf dem Balkon keine Yin- oder Yang-Extreme vorherrschen – obwohl der Balkon ein bisschen mehr an Dynamik und somit auch an Besonnung verträgt. Aber wenn er wegen übermäßiger Hitze nicht benutzt wird oder der dahinter liegende Raum unter den Temperaturen zu leiden beginnt, ist die positive Wirkung dahin. Umgekehrt wird ein zu schattiger und finsterer Balkon (außer an wenigen wirklich heißen Tagen) auch kaum genutzt werden. Daher sind schützende respektive aktivierende Maßnahmen zum Ausgleich der beiden Extreme vonnöten. Wie Sie Ihren Balkon zu einem Ort der Kraft und des Wohlbefindens umfunktionieren, finden Sie ebenfalls auf den folgenden Seiten.

Vollsonniges Fenster

Die Sonne brennt aufs Fenster.

Problemsituation

Für ein aktives und gesundes Leben benötigen wir Menschen eine ausreichend große Menge an Licht und Energie. Da wir uns heute viel mehr als früher in Innenräumen aufhalten, sollten moderne Wohnräume insgesamt etwas mehr Yang-Schwingungen (→ Seite 12) erhalten, als es in früheren Zeiten nötig war, wo die Menschen viel mehr im Freien arbeiteten. Eine ideale Wohnung sollte – wenn es die Witterung erlaubt – zu allen Jahreszeiten zumindest ein bißchen tägliche Besonnung erhalten. Was in einem bestimmten Ausmaß gut und gesund ist, kann jedoch im Übermaß Probleme verursachen: Zu große und direkt gegen die Sonne ausgerichtete Fensterflächen führen nämlich in modernen Gebäuden zu einer Überaktivierung der Räume mit Yang-Energie. Solche Zimmer machen unruhig und nervös, und man vermisst in ihnen das Gefühl von Harmonie und Geborgenheit. Vor allem »weibliche« Qualitäten, wie etwa die Fähigkeit, sich zu entspannen und aus der Ruhe zu schöpfen, aber auch Intimität und Kuscheln, kommen inmitten dieser allzu vibrierenden Schwingung leicht zu kurz.

Lichthungrige Pflanzen und ein Regenbogenkristall dämpfen das Übermaß an Sonne.

Das Fenster schützen

Reduzieren Sie die allzu dynamischen Yang-Energien, indem Sie die offenen Fensterflächen vor zu praller Sonnenbestrahlung schützen. Neben Jalousien und Gardinen haben sich für diesen Zweck lichthungrige Zimmerpflanzen bewährt, wie beispielsweise Amaryllis (*Hippeastrum*-Hybriden) oder die Myrte (*Myrtus communis*). Bei genügend Platz können Sie auch eine Palme im Kübel auf den Boden vor dem Fenster stellen. Als attraktive und sehr kraftvolle Ergänzung empfehle ich, je nach Geschmack und Fenstergröße ein bis zwei Regenbogenkristalle mittlerer Größe (3–4 cm ø) innen vor die Scheibe zu hängen. Diese harmonisieren mit ihren farbenprächtigen Strahlen zusätzlich den Raum. Dabei verbreiten sie ihr buntes Funkeln auch in den hintersten Winkel hinein und sorgen somit auch für eine gleichmäßigere Verteilung der Lichtenergie.

Richtig kombinieren

Verwenden Sie nur solche Accessoires, die Ihnen persönlich zusagen und gut in den Raum passen. Um Einseitigkeiten zu vermeiden, sollten Sie an unterschiedlichen Plätzen nicht jeweils die gleichen Hilfsmittel wählen. Kombinieren Sie stets sich in der Wirkung ergänzende Pflanzen und Accessoires.

Schattiges Zimmer

Nur spärliches Licht kommt herein.

Problemsituation

Ist ein Raum sehr schattig, etwa weil er nach Norden liegt oder die Sonne durch ein Nachbargebäude abgeschottet wird, so überwiegt in ihm die passive Yin-Energie. Dies mag zwar für ein Schlafzimmer – das ja hauptsächlich der Entspannung und dem Schlaf dient – durchaus passen. Alle aktiv genutzten Räume jedoch, wie etwa das Wohnzimmer, die Küche, das Esszimmer oder auch das Büro leiden unter einem Mangel an aktiver Yang-Energie. Recht bald würde sich ein Defizit an Vitalität, Antriebskraft und Durchsetzungsvermögen bei den Menschen einstellen, und sogar der berufliche Werdegang könnte darunter leiden. Um dies auszugleichen, sollte das Fenster und dessen Umfeld sehr offen und lebendig, der gesamte Raum insgesamt sehr strahlend und besonders abwechslungsreich gestaltet werden

Power für das Fenster

Entfernen Sie zunächst alles aus dem Umfeld des Fensters, was das Tageslicht behindert. Binden Sie Gardinen tagsüber zur Seite, öffnen Sie die Jalousien und entfernen Sie große oder dichte Pflanzen vom Fensterbrett. Wählen Sie stattdessen Hängepflanzen wie Efeu *(Hedera helix)*. Unterstützen Sie die Ausstrahlung des Fensters durch helle und feurig-rote Übertöpfe oder pfiffige Accessoires in Feuerfarben. Auch alles Glänzende und Funkelnde aktiviert die Yang-Energien im Raum.

Zusätzliches Licht

Nicht nur das Fenster, sondern auch der gesamte Raum sollte vor Dynamik und Lebendigkeit nur so überquellen. Entfernen Sie daher zunächst alles Überflüssige, dies bringt eine Menge stagnierender Energien wieder ins Fließen und aktiviert darniederliegende Yang-Schwingungen. Zusätzliche Lichtquellen erhellen den Raum und machen ihn insgesamt auch lebendiger.

Feuerfarben verstärken die schwache Strahlung. Ideal wären geöffnete Gardinen.

Vollsonniger Balkon

Pralle Sonne auf dem Balkon.

Problemsituation

Ein gut genutzter und erfreulich gestalteter Balkon aktiviert sehr viele zusätzliche positive Schwingungen für die Menschen in diesem Haus oder dieser Wohnung. Um seine wohltuenden Wirkungen entfalten zu können, sollte er aber nicht nur mit gemütlichen Möbeln ausgestattet werden, wichtig ist auch eine den jeweiligen Bedürfnissen angepasste Abschottung gegen störende Umwelteinflüsse. Auf einem schutzlos der prallen Sonne ausgesetzten Balkon werden Sie sich viel seltener aufhalten, als es möglich wäre. Dadurch lassen Sie leider auch das Potenzial dieser Chi-Ressource ungenutzt verkümmern.

Schützende Markisen

Egal ob Sonnenschirm, Markise, ein dicht bewachsenes Rankgerüst oder eine Schatten werfende, lichthungrige Kübelpflanze wie der Zitronenbaum *(Citrus limon)*: Auf dem Balkon sollte durch die jeweils am besten geeignete Maßnahme für ein ausgewogenes Verhältnis von Yin und Yang, also von Schatten und Licht gesorgt werden. Ein schattiger Sitzplatz wirkt schon viel einladender als ein der prallen Sonne ausgesetzter. Deswegen wird er auch viel häufiger und intensiver genutzt werden. Das ist ja das Wichtige, denn erst bei regelmäßiger Nutzung kann der Balkon sein förderliches Energiepotenzial zum Wohle der Bewohner entfalten.

Richtig gestalten

Als erweiterter Lebensraum sollte der Balkon einen gemütlichen Eindruck vermitteln, kuschelig und gleichzeitig lebendig wirken, also idealerweise mit vielen saftig-grünen Pflanzen ausgestattet sein. Auch Textilien und Gegenstände aus natürlichen Materialien wie Keramik, Terrakotta, Holz oder Bambus fördern Harmonie und Wohlbefinden. Die Ausstrahlung des Balkons beeinflusst auch das Innere der Wohnung. Gestalten Sie ihn also auch so, dass er von innen betrachtet ebenfalls einen schönen und sehr erfreulichen Anblick bietet.

Kühlendes Wasser

Zur Steigerung des Chi sollten Sie in die Gestaltung noch Wasser miteinbeziehen. In der einfachsten Form könnte dies eine mit kühlem Wasser gefüllte Schale sein, in der frische Blüten schwimmen. Besser wäre aber eine dauerhaftere Lösung, zum Beispiel ein Miniteich, bepflanzt mit Seerosen, oder ein sprudelnder Quellstein mit frischem und sauberem Wasser.

Stoff und Pflanzen filtern das Licht.

Schattiger Balkon

Ein schlecht genutzter, weil zu schattiger Balkon.

Problemsituation

Ganztägig schattige Balkone werden in der Regel seltener genutzt als die günstiger zur Sonne orientierten. Meist kommt dann leider auch noch eine falsche und lieblose Gestaltung dazu. Ein schlecht eingerichteter Balkon jedoch reduziert nach der Meinung von Feng-Shui-Experten die Energie der Bewohner, während eine geschickte und lebendige Gestaltung für viel zusätzliches Chi sorgt. Schöpfen Sie die energetische Bereicherung, die ein Balkon für Haus und Bewohner bieten kann, optimal aus. Gestalten Sie hierfür den Schattenbalkon besonders offen und insgesamt bunt und strahlend.

Bunt und fröhlich

Während sich ein gut belichteter Idealbalkon meist recht mühelos gestalten lässt, benötigt ein schattiger Problembalkon ein bisschen mehr Überlegung und Planung. Machen Sie ihn zu einer bunten und abwechslungsreichen Erlebniswelt: Ideal sind Blumentöpfe in leuchtenden Farben, glänzende Kugeln, verspielte und freche Accessoires, frisch sich im Wind drehende, regenbogenfarbige Windräder, lustig flatternde Bänder und alle Hilfsmittel, die die Sinne anregen. Wählen Sie Pflanzen, die durch ihre Farbenpracht ebenfalls zum bunten und unbeschwerten Ambiente beitragen. Der schattige oder halbschattige Standort hat zumindest den Vorteil, dass hier so manche Pflanzen gedeihen, die sich unmittelbar in der prallen Sonne nicht so wohl fühlen würden, wie zum Beispiel die Hortensien *(Hydrangea macrophylla)*.

Feuer und Licht

Als ausgleichenden Gegenpol zum überwiegenden Yin des schattigen Balkons sollten Sie eine »feurige« Gestaltung anstreben. Denn alles, was Bewegung, Strahlen und Dynamik auf Ihren Balkon bringt, führt diesem – und somit auch den Menschen im Haus – viel aktive und belebende Yang-Energie zu: Kerzen, Windlichter, in die Pflanzgefäße gesteckte Fackeln und Laternen, Solarleuchten oder ganz einfach die an der Wand angebrachte Außenbeleuchtung sorgen nicht nur für aktivierendes Chi, sondern auch für Stimmung und Gemütlichkeit.

Bunte Farbenpracht erhöht die Energie des Balkons.

Probleme vor dem Eingang abfangen

Das äußere Umfeld

Jedes Gebäude ist eng mit der Umgebung verbunden, die mit ihren ganz speziellen Energien das Bauwerk und die darin wohnenden Menschen beeinflusst. Das Spektrum dieser Einwirkungen auf Mensch und Lebensraum ist ausgesprochen vielfältig, die Umfeldenergien können sich erfreulich und fördernd auswirken, aber auch wenig aufbauend oder gar hinderlich. Wie bei der Aussicht, die oft schon bei nebeneinander liegenden Wohnungen sehr differiert, fällt auch die subtile Wirkung dieser Energie von Ort zu Ort sehr unterschiedlich aus.

Generell sollte für ein möglichst günstiges Feng Shui die Umgebung – zumindest von der »Hauptaussichtsseite« der Wohnung betrachtet – sowohl Weitblick ermöglichen, als auch etwas Erfreuliches und Aufbauendes zeigen. Je naturbelassener die Umgebung, desto besser. Aber auch ein einzelner Baum, ein schöner Strauch, eine begrünte Wand oder ein kreatives Kunstwerk können in dichter besiedelten Gebieten einen solchen »Lichtblick« abgeben. Betrachten Sie daher Ihre Umgebung mit dem Blick eines Gastes: Was fällt besonders auf, gibt es schöne Blickfänge? Oder stört Sie etwas, befindet sich hier gar ein hässliches, aggressiv wirkendes Gebäude beziehungsweise ein anderes unangenehm berührendes Detail?

Die Umgebung

Landschaft, Nachbarschaft, Nebengebäude, Straßen, Fabriken, Parkplätze, Kinderspielplätze und vieles andere mehr können förderliche oder störende Energien erzeugen, die die im Umfeld lebenden Menschen beeinflussen. Wenn ein großes Nebengebäude die Aussicht blockiert oder sich die Bewohner schlicht von diesem Gebäude »bedrängt« fühlen, hemmt das nachhaltig ihr Chi. Aber auch, wenn Sie beim Verlassen der Wohnung unmittelbar gegenüber der Wohnungstür eine Säule oder eine Straßenlaterne vorfinden, dann blockiert und stört diese ebenso das Chi der Bewohner. Wie Sie in all diesen Fällen durch den geschickten Einsatz von Pflanzen und Hilfsmitteln für Abhilfe sorgen können, entnehmen Sie den folgenden Seiten.

Der Eingang

Es muss aber nicht immer die Nachbarschaft sein, aus der die Irritationen kommen, oft sind die Störungen hausgemacht: Wussten Sie, dass spitze Kanten, vor allem, wenn man darauf zulaufen muss, sehr irritierend wirken können? Ein häufig vorzufindendes Beispiel ist ein spitzes Designer-Vordach mit einer messerscharfen Kante über dem Eingang, die auf den Zugangsweg zielt. Die Gestaltung des Hauseingangs – in Mehrfamilienhäusern des privaten Wohnungseingangs – ist ausgesprochen wichtig. Dieser fungiert gewissermaßen als der »Mund«, durch den viele Energien in den Wohnbereich gelangen. Dementsprechend positiv sollte der Zugang zur Wohnungstür, das unmittelbare Umfeld bei der Tür und schließlich auch die Tür selbst gestaltet sein. Wenn sie arg im Finstern liegt oder das Umfeld insgesamt unfreundlich wirkt, dann stagniert das Chi. Eine direkt auf den Eingang zulaufende Treppe hingegen beschleunigt die Energie und erzeugt dadurch viel Unruhe in der betreffenden Wohnung. Auch hier können Pflanzen und liebevoll platzierte Accessoires viel zur Stabilisierung und Harmonisierung des Umfelds beitragen.

Hohes Nachbargebäude

Ein »drohendes« Hochhaus.

Problemsituation

Sie schauen aus Ihrem Fenster, aus dem Garten vor Ihrem Haus oder vom Balkon in die Umgebung: Befindet sich in der Nähe und unmittelbar in Ihrer Hauptblickrichtung ein größeres oder höheres Haus? Dieses wirkt wie eine Blockade, was oft dazu führt, dass Sie sich im Leben und auch im Beruf schwerer entfalten können als andere. Oder Sie geraten möglicherweise immer wieder in Situationen, die Sie als hinderlich oder einengend erleben. Ein Gebäude sollte möglichst nicht über ein anderes dominieren, da sonst ein Ungleichgewicht im Energiegefüge der »unterlegenen« Hausbewohner mit den entsprechenden Folgen entstehen könnte.

Das eigene Gebäude stärken

Das Ziel sollte in diesem Fall sein, das Gleichgewicht zur Umgebung wiederherzustellen. Da Sie wahrscheinlich schwerlich Ihr eigenes Haus auf die gleiche Höhe des Nachbargebäudes aufstocken können, müssen Hilfsmittel mit großer Strahlkraft oder mit »anhebender« Energie für Ausgleich sorgen. Eine günstige Feng-Shui-Lösung ist die Begrünung der eigenen Fassade – zumindest im Bereich der Terrasse oder des Balkons, noch besser aber der gesamten Front. Wählen Sie dazu einen schnell wachsenden, immergrünen Kletterer wie Efeu *(Hedera helix)*. Mit diesem »lebendigen Schutzmantel« schotten Sie das Gebäude gegen störende äußere Einflüsse ab. Und außerdem stärkt die Vitalkraft der nach oben wachsenden Kletterpflanzen mit ihrer anhebenden Energie das Gebäude.

Die Kraft des Lichts

Um das Chi Ihres Hauses zusätzlich zu stärken, sollten Sie auch eine Lampe an der Fassade anbringen, die zum übermächtigen Nachbargebäude strahlt und täglich zumindest eine Viertelstunde leuchtet. Auch im Garten, am Zaun oder auf dem Balkon können Sie noch weitere Leuchten anbringen. Beachten Sie aber, dass die Bewohner des Gebäudes nicht geblendet werden. Auch reflektierende Gegenstände zum Zerstreuen der übermächtigen Energien wie Türklopfer aus poliertem Messing oder spiegelnde Rosenkugeln haben einen ähnlichen, schützenden Effekt.

Pflanzen und Licht drängen den störenden Einfluss zurück.

Zu spitzes Vordach

Die Spitze zielt auf Menschen.

Problemsituation

Je einladender und sympathischer sowohl der Zugang als auch der Eingang selbst gestaltet ist, umso freundlicher wird sich der Eintretende empfangen fühlen und umgekehrt. Und dies ist ja wieder entscheidend dafür, welche Energien der Gast mit in die Wohnung nimmt. Entfernen Sie daher alle irritierenden Gegenstände aus dem Zugang, etwa den Weg blockierende Fahrräder oder die Mülltonne, die nicht nur hin und wieder riecht, sondern auch das Wegwerfen symbolisiert.

Um die Eingangstür vor den Witterungseinflüssen zu schützen, werden häufig Vordächer angebracht. Diese sollten aus Feng-Shui-Sicht symmetrisch sein, am besten mit harmonischen Rundungen. Damit können Sie den Eingang aufwerten und ihn mit einer schützenden und einladenden Aura stärken. Besonders ungünstig wirken spitze Vordächer, vor allem, wenn eine aggressive Kante gegen die Eintretenden »schießt«. Dies führt zu unbewusster Irritation und Abwehr, sowohl Bewohner als auch Gäste fühlen sich abgelehnt – oder werden gar selbst von dieser aggressiven Schwingung angesteckt. In einem solchen Gebäude mangelt es meist an Geborgenheit und Harmonie.

Die Kanten begrünen

Lassen Sie auf keinem Fall zu, dass die aggressive Kante weiterhin gegen Sie und Ihre Gäste zielt. Wenn das spitze Vordach baulich nicht verändert werden kann, bleibt die Möglichkeit des Begrünens: Pflanzen Sie Wilden Wein (*Parthenocissus*-Arten) oder eine andere schnell wachsende Kletterpflanze in die Erde oder einen Kübel. Diese verdeckt und entschärft auf einfache und sehr sympathische Art die aggressive Kante und lässt den Eingang schon von weitem einladend erscheinen. Achten Sie jedoch darauf, dass die Pflanze nicht in den Eingangsbereich hineinwuchert. Was eine Feng-Shui-Maßnahme nämlich niemals darf, ist, selbst wieder ein Problem zu erzeugen. Der Eingang sollte stets frei und unverdeckt bleiben.

Belebender Windsack

Eine weitere, recht pfiffige Maßnahme zum Entschärfen der spitzen Kante bietet ein sich lustig im Wind drehender Windsack. Bringen Sie diesen ganz einfach am Rahmen des Vordaches an. Nun zieht er selbst die gesamte Aufmerksamkeit auf sich und lenkt somit ab vom Problem. Windspiele schaffen eine Atmosphäre heiterer Freude und bringen durch ihre Buntheit viel frisches und jugendliches Chi in Ihr Haus.

Pflanzen und Windspiele dämpfen die Wirkung.

Störende Straßenlaterne

Nicht ideal: die Laterne gegenüber dem Hauseingang.

Problemsituation

Eine Säule, eine Laterne oder ein Strommast unmittelbar gegenüber der Haustür führt nach der Erfahrung von Feng-Shui-Experten häufig zu Schwierigkeiten im Leben der Bewohner. Schließlich ist da ständig etwas, das den Eingang blockiert und symbolisch überschattet. Es irritiert ganz einfach, wenn Sie beim Verlassen des Hauses auf ein Hindernis zusteuern – selbst wenn dieses einige Meter entfernt ist, und selbst wenn der Weg Sie letztlich problemlos daran vorbeiführen wird. Achten Sie nach Möglichkeit darauf, daß Laternen oder andere Störobjekte seitlich platziert werden. Wo das Problem aber bereits besteht, sollten Sie schützende Maßnahmen ergreifen.

Die Eingangstür schützen

In diesem Fall helfen abwehrende und gleichzeitig zurückstrahlende Accessoires. Ein sehr wirkungsvoller und auch beliebter Schutz ist es, einen symbolischen Durchgang zu schaffen. Jedes »Tor« trennt automatisch den einen Bereich vom anderen. Platzieren Sie daher links und rechts Ihres Einganges zwei dekorative Gefäße mit gesunden und kräftigen Pflanzen wie zum Beispiel Strauchmargeriten *(Argyranthemum frutescens)* oder auch immergrünen und winterharten wie der Buchs *(Buxus sempervirens)*. Diese bilden eine lebendige Pforte und erzeugen sowohl symbolisch beim Durchschreiten als auch energetisch durch ihre grüne, lebendige Ausstrahlung eine harmonisierende »Schutzwand«. Wenn Sie noch je eine oder mehrere glänzende Rosenkugeln zu den Pflanzen stecken, nutzen Sie auch noch zusätzlich deren Störeinflüsse zerstreuende und reflektierende Wirkung.

Pflanzen und Türkranz – ein schönes Willkommen.

Traditionsreicher Türkranz

Eine uralte Tradition hat der Türkranz, der in der Mitte des Eingangs befestigt wird, und der heute nicht zu unrecht wieder sehr beliebt ist: Seine kreisrunde Form symbolisiert den »ewigen Energiefluss«, und sein lebendiges Grün vermittelt Frische und Vitalität. Daher wirkt er als harmonisierender Willkommensgruß. Verwenden Sie aber einen Kranz, der aus immergrünen Zweigen geflochten und mit vielen haltbaren bunten Früchten und Blüten verziert ist. Wechseln Sie ihn aus, sobald er einen vertrockneten Eindruck macht.

Treppe vor der Wohnungstür

Die Treppe zieht Energie ab.

Problemsituation

Bei manchen Wohnungen läuft die Treppe unmittelbar auf die Eingangstür zu und erzeugt dadurch viel Unruhe. Es ist, als ob ein unsichtbarer Sog von der Treppe ausgeht, der ständig an der Wohnungstür »zieht« (wenn die Treppe vom Eingang nach unten wegführt) oder »schiebt« (wenn sie von oben nach unten auf die Tür zuläuft). Die Menschen in einer solchen Wohnung werden daher viel Abwechslung und Veränderung in ihrem Leben erfahren, meist mehr, als ihnen lieb ist. Innere Rastlosigkeit und ein großes Maß an Unbeständigkeit – zum Beispiel in den Beziehungen, oder auch im Berufsleben – sind häufig die Folge

Schon im Treppenhaus eingreifen

Nutzen Sie den Bereich vor Ihrer Wohnungstür so gut es geht selbst und platzieren Sie dort eigene Gegenstände. Um die unruhige Energie zu bremsen und zu stabilisieren, benötigen Sie gewichtige und erdende Gegenstände, die nach Möglichkeit schon auf der Treppe aufgestellt werden sollten. Günstig sind in schwere Gefäße aus Keramik oder Terrakotta gesetzte Pflanzen. Steinfiguren oder massive Möbelstücke wirken ebenfalls als hervorragende Chi-Bremser, dürfen aber den Flur nicht zu sehr blockieren.

Die Tür aufwerten

Sehr wirkungsvoll ist auch das »Stärken« der Wohnungstür: Ein halbrunder Fußabstreifer lässt die Energie harmonischer fließen und verteilt außerdem zu starke Einflüsse dosiert in die Umgebung. So nebenbei unterstützt er auch Ihre positive Ausstrahlung, und Nachbarn oder Gäste werden ein besonders sympathisches Bild von Ihnen gewinnen. Sogar Ihnen selbst wird es leichter fallen, mit den anderen Menschen im Haus zu kommunizieren.

Topfpflanzen beruhigen den Energiefluss.

Let the sun shine

Erfreuliche Accessoires wie eine strahlende Sonne aus Messing oder Keramik helfen, dem Eingang zusätzlich Frische und Lebendigkeit zu vermitteln. Ideal sind auch Hilfsmittel, die reflektieren können, wie der klassische Messing-Türklopfer, die eine schützende und Sha-reflektierende Wirkung haben. Generell kann alles Freundliche und gleichzeitig Spiegelnde die Tür vor zu starken äußeren Einflüssen schützen.

Probleme in der Wohnung lösen

Einführung

Jeder einzelne Raum einer Wohnung oder eines Einfamilienhauses hat seine ganz spezielle Funktion und sollte daher bei der Gestaltung stets individuell behandelt werden. Damit Sie sich wirklich in der gesamten Wohnung und nicht nur in einem einzigen Raum wohl fühlen, sollten Sie die unterschiedlichen Nutzungsarten ebenso beachten wie die persönlichen Vorlieben und den Geschmack der anderen Bewohner. Feng Shui kann und sollte ohnehin sehr individuell ausgelegt und eingesetzt werden.
Es gibt aber einige grundsätzliche Kriterien, die bei Planung und Einrichtung der Wohnung sinnvollerweise beachtet werden sollten. Dies beginnt bereits beim Eingang: Worauf fällt Ihr erster Blick beim Nachhausekommen? Was zieht Sie an? Wo möchten Sie am liebsten gleich hingehen, und wo würden Sie gerne verweilen? Dort haben Sie schon instinktiv bei der Gestaltung vieles perfekt gemacht! Sehen Sie jedoch schon vom Eingang auf die Sitzgarnitur im Wohnzimmer, kann es sein, dass sich die Bewohner hier selten aufhalten oder überhaupt sehr häufig außer Haus sind. Und liegt das Schlafzimmer sehr nahe beim Eingang, können sich neben einem ausgeprägten Schlafbedürfnis – oder einem stark betonten Sexualleben – leider auch Unruhe und mangelnde Erholungsfähigkeit einstellen. In beiden Fällen ist für eine Abschottung zum Eingang hin und mehr Schutz zu sorgen. Pflanzen sind dabei sehr effektive Helfer.

Schwächen mit Pflanzen ausgleichen

In jeder Wohnung gibt es noch Bereiche und Details, die aus Feng-Shui-Sicht verbesserungswürdig wären. Dabei sind immer die Auswirkungen auf den Menschen und sein Energiefeld zu betrachten. So hat die Erfahrung gezeigt, dass der längere Aufenthalt unter Balken, aber auch unter Dachschrägen – wenn Sie zum Beispiel darunter schlafen oder arbeiten – sehr begrenzend und einengend wirkt. Setzen Sie sich daher möglichst nicht unter eine Schräge oder einen Balken, oder sorgen Sie zumindest für Ausgleich wie auf den nächsten Seiten beschrieben.
Scharfe Kanten erzeugen Aggression, so genanntes Sha, auch schneidendes Chi genannt. Deshalb sollten diese mit Pflanzen oder Accessoires kaschiert werden. Und ist Ihnen schon einmal aufgefallen, dass in manchen Esszimmern und an bestimmten Tischen mehr gestritten wird als an anderen? Dies kann auch damit zusammenhängen, dass die Tischform ungünstiges Sha verursacht. Da aber eine gute Atmosphäre beim Essen eines der wichtigsten Elemente für gutes Feng Shui ist, sollten Sie auch hier zu den in diesem Kapitel beschriebenen Gegenmaßnahmen greifen.
Durch ungünstige Formen entstehen Schwachbereiche – im Zimmer ebenso wie auf dem Schreibtisch. Auch in jenem Raum, in dem viele von uns mehr Zeit verbringen als mit dem eigenen Partner, sollten Sie für gutes Feng Shui sorgen: Das Arbeitszimmer kann nämlich besonders viel Lebendigkeit und Energie vertragen. Schließlich ballen sich hier die meisten technischen Geräte und verbreiten oft Störfelder. Auch dort sollten Sie für Ausgleich und Energetisierung sorgen.

Hässlicher Ausblick

Eine Baustelle vor dem Fenster.

Problemsituation

Die Baustelle, der Großparkplatz oder die Hauptstraße neben dem Wohnhaus wirken als Chi-Räuber. Die anregende Wirkung eines schönen Ausblicks hingegen kennen wir alle aus eigener Erfahrung. In den meisten Fällen können wir aber die Umgebung der Wohnung nicht beeinflussen – und selbst attraktive Lagen werden oft durch Baumaßnahmen verschandelt. Am wichtigsten ist ein schöner Blick aus dem Wohnzimmer. Als Faustregel gilt: Halten Sie belastende Einflüsse fern und lenken Sie von ihrem Anblick ab. Erfreuliche Ansichten sollten hingegen in den Blickpunkt gezogen werden. Analysieren Sie daher immer zunächst die Umgebung und sorgen Sie gezielt für Ausgleich. Auch wenn Sie auf das äußere Umfeld keinen Einfluss haben, Ihr Wohnumfeld jedoch und Ihre Wahrnehmung können Sie so lange verändern, bis es für Sie stimmt und Sie sich wohl fühlen.

Verdecken und ablenken

Wenn schon vor dem Fenster alles trostlos ist, sorgen auf dem Fensterbrett attraktive Pflanzen mit großen Blüten in kräftigen Farben wie die Amaryllis (*Hippeastrum*-Hybriden) für einen angenehmen Anblick. Ein nettes Mobile, etwa mit Vogel- oder Blütenmotiven, erinnert dazu an die Lebendigkeit der Natur. Zusätzliche Duftpflanzen wie der Jasmin (*Jasminum officinale*) schaffen außerdem eine harmonische Duftatmosphäre. Das ist besonders wichtig, wenn von einer Straße belastende Abgase ausgehen. Lassen Sie trotz allem immer noch genügend Sonne durchs Fenster dringen und halten Sie jene Blickrichtung frei, die Ihnen den besten Ausblick ermöglicht. Auch halbhohe Abschirmungen sind manchmal hilfreich: Nach unten zur Problemumgebung wird der Blickkontakt unterbrochen, in die Ferne jedoch kann er ungehindert schweifen.

Pflanzen und Accessoires schaffen einen erfreulichen Blickfang.

Schneidendes Chi einer Mauerkante

Eine unangenehme Kante.

Problemsituation

Ein alter Spruch besagt, dass sich niemand an die Ecke eines Esstisches setzen sollte, da ihm dies eine böse Schwiegermutter bescheren würde. Dahinter verbirgt sich das Wissen, dass scharfkantige Ecken wie ein Messer ins Energiefeld des Menschen eindringen und dieses schwächen. Daher sollten keine Schlaf- oder Sitzplätze unmittelbar vor scharfen Kanten angesiedelt sein. Wenn das Sofa vor einer solchen Ecke steht, wird der betreffende Platz meist ungenutzt bleiben. Strahlt im Schlafzimmer die aggressive Kante der Mauer oder des Nachtkästchens schwächendes Sha über das Bett, können Schlafprobleme entstehen und langfristig gar gesundheitliche Schwächen. Und wenn ein Kind vor einer solchen Ecke lernen muss, wird wahrscheinlich seine Konzentration sehr leiden.

Mauerkanten trickreich entschärfen

Die dauerhafteste Lösung wäre eine Abrundung der Kante, dies ist aber meist nicht möglich. Verdecken Sie also einfach die Kante, indem Sie eine kräftige Zimmerpflanze wie den Gummibaum *(Ficus elastica)* davor stellen und sie von oben mit einer Ampelpflanze wie der Grünlilie *(Chlorophytum chlorosum)* oder einem Tuch abhängen. Achten Sie aber stets darauf, dass die Pflanze auch gut gedeiht. In seltenen Einzelfällen kann sie überfordert sein, dann sollten Sie sie durch eine etwas größere und robustere ersetzen.

Möbelkanten dämpfen

Die scharfe Ecke eines Schreibtisches oder einer Kommode können Sie ebenfalls mit einem Tuch kaschieren. Oder Sie stellen auf die Ecke eine Hängepflanze wie den Efeu *(Hedera helix)*, der ebenfalls mit seinen Trieben und Blättern die Kante verdeckt. Auch eine Stehlampe, eine Blumensäule oder eine schlanke Statue können sie neutralisieren.

Weiche Pflanzen entschärfen und harmonisieren.

Drückende Balken

Die Balken drücken aufs Bett.

Problemsituation

Das Energiefeld des Menschen reagiert äußerst sensibel, in einem förderlichen Umfeld weitet es sich aus. Störende Energien aus der Umgebung jedoch nehmen wir als Eingriff in unsere Aura und auch als Minderung unseres Wohlbefindens wahr. Daher wirkt auch jeder schwere, über dem Körper angebrachte Gegenstand bedrohlich, denn er bedrückt unser Energiefeld. Unter Balken – ebenso wie unter einem schweren Kristallleuchter oder einem Bücherregal – schlafen zu müssen, kann zum Beispiel zu Schlafproblemen oder Angstträumen führen. Deswegen sollten Dachbalken nicht auch noch nachträglich freigelegt werden. Ragen sie schon sichtbar aus der Decke Ihrer Wohnung, dann platzieren Sie nach Möglichkeit nicht die Sitz-, Arbeits- oder Schlafbereiche genau darunter. Wenn auch das unabänderlich geschehen ist, sollten Sie die folgenden Maßnahmen ergreifen.

Balken entschärfen

Wenn Sie das Bett nicht in eine balkenfreie Zone verschieben können, lassen Sie die Balken mit Kletterpflanzen beranken, das nimmt ihnen die Aggressivität und lässt sie insgesamt weicher und lebendiger erscheinen. Auch ein Verdecken der Balken mit weich fallenden Stoffbahnen ist zu empfehlen. Günstig wäre hier oftmals auch ein schützendes Himmelbett.
Spitze Giebel können bei langem Aufenthalt darunter durch ihre unharmonischen Kanten und Ecken zu ähnlichen Problemen wie Balken führen. Eine geschickt platzierte Blumenampel sorgt für Ausgleich und Harmonie, eventuell ebenfalls in Kombination mit gefühlvoll drapierten Textilien.

Mit Maß und Ziel

Nicht jeder Balken ist belastend, je heller, je entfernter vom Menschen und je kleiner er ist, desto geringer wird auch seine Wirkung sein. Horchen Sie in sich hinein, ob Sie eine spürbare Belastung fühlen. Insgesamt sollten Sie einen Raum mit Balken eher luftig und leicht gestalten. Helle und duftige Textilien mit fröhlichen Mustern sind da gerade recht, ebenso positiv wirken aufstrebende Tapetenmuster, freundliche Farben und nach oben strahlende Wandleuchten.

Helle, luftige Stoffbahnen schützen vor dem Druck.

Belastende Dachschräge

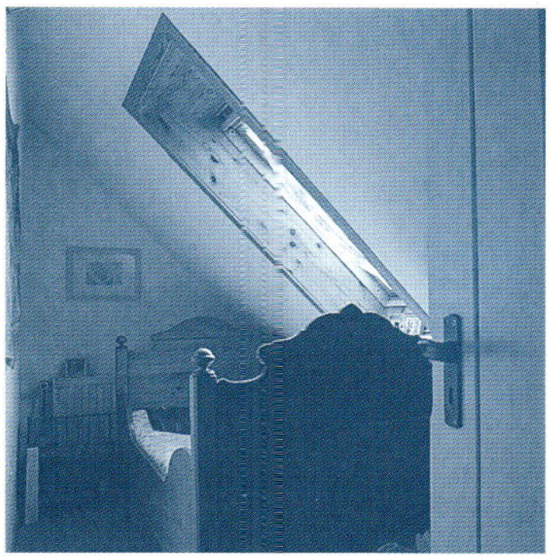

Die Schräge belastet den Schläfer.

Problemsituation

Um zusätzlichen Wohnraum zu schaffen, werden heute immer mehr Dachböden ausgebaut. Viele der so entstandenen Wohnungen haben überwiegend schräge Wände, und diese gelten aus Feng-Shui-Sicht als problematisch. Insbesondere bei tief nach unten reichenden Dachschrägen, deren unterer Ansatz dem Boden ziemlich nahe kommt, entsteht in den hinteren Winkeln ein belasteter Raum mit gestauter Energie. Wenn bei Ihnen das Sofa oder das Bett genau unter der Schräge steht, sollten Sie unbedingt ausgleichende Maßnahmen ergreifen.

Gegenpol Pflanze

Jeder Raum mit starken Dachschrägen profitiert von Pflanzen wie dem Bogenhanf *(Sansevieria trifasciata)*, deren Wuchsform betont aufrecht und nach oben strebend ist. Sie ziehen das Chi vom Boden nach oben und wirken somit dem drückenden Einfluss der Dachschräge entgegen. Heben Sie die Raumschwingungen noch durch weitere nach oben wirkende Accessoires: eine dekorative Säule mit einer Topfpflanze wie dem Rippenfarn *(Blechnum gibbum)*, eine Statue mit nach oben gerichtetem Blick oder auch eine Bodenvase mit schlanken Rohrkolben. Ein zusätzliches Mobile in einem der vernachlässigten Raumbereiche belebt auch dort die stagnierenden Energien.

Ecken nutzen

Verbauen Sie nach Möglichkeit die tiefsten Bereiche unter der Schräge mit Regalen und Schränken und nutzen Sie sie als Lagerfläche. Verschließen Sie die Ablagen mit Türchen, Rollos oder Gardinen – und schon wirkt der Raum insgesamt viel ausgewogener. Vor allem kann sich in diesen belasteten Zonen nun kein Mensch mehr aufhalten. Für die symbolische und beruhigende Vorstellung einer freien, ungehinderten Entfaltungsmöglichkeit der eigenen Lebensenergien benötigt jedermann ein Umfeld mit einer entsprechenden Raumhöhe. Zumindest ein halber Meter Freiraum sollte stets über dem Körper vorhanden sein, sowohl beim Arbeiten als auch in der Freizeit und beim Schlafen.

Aufstrebende Pflanzen gleichen aus.

Nicht getrennte Wohnbereiche

Schlafen und Arbeiten direkt nebeneinander.

Problemsituation

Besonders in kleinen Wohnungen wird oft in einer Ecke des Raumes gekocht und gegessen, gleich nebenan befindet sich das Sofa mit dem Fernseher, gegenüber steht der bereits zum Bersten voll geräumte Schreibtisch, und dazwischen ist dann auch noch das Bett geklemmt. Eine solche Situation ist zwar für einen beschränkten Zeitraum – etwa während des Studiums – durchaus tolerierbar, aber auf Dauer können sich daraus Probleme entwickeln. Denn die Arbeit und alle Aktivitäten im Tageslauf sind Yang, Schlafen, Ruhen und Entspannen sind Yin. Wenn sich nun verschiedene Bereiche zu unmittelbar beeinflussen und vermischen, kann dies im allgemeinen Leben zu Abgrenzungsproblemen führen: Man ist nie ganz bei einer Sache, stets drängen die Einflüsse ganz anderer Bereiche ebenfalls herein. Zum Beispiel wird beim Arbeiten gegessen, beim Schlafen läuft der Fernseher, und die Arbeit wirkt ins Bett hinein. Es ist schwer, auf Dauer in einem solchen Umfeld ein stabiles und ausgewogenes Leben zu führen, und auch beim Kontakt mit der Umwelt kann sich manches zu sehr »vermischen«. Hier sollten Sie unbedingt klärend eingreifen.

Zonen schaffen

Wenn nur ein Raum für die einzelnen Bereiche zur Verfügung steht, müssen Sie optisch oder zumindest symbolisch für deren Abgrenzung sorgen, um wieder mehr Struktur und Klarheit in Ihr Leben zu bringen. Trennen Sie den Schlaf- vom Aktivbereich mit Hilfe eines Raumteilers. Gesunde und kräftige Pflanzen wie der Baumfreund *(Philodendron erubescens)* sind dafür ideal. Sie reinigen gleichzeitig die Aura des Menschen und helfen, die Energien des einen Bereichs abzustreifen und neutral ins neue Umfeld zu gehen. Ein quer gestelltes Regal, ein Paravent oder eine Gardine können übrigens ebenfalls denselben Effekt erzielen. Günstig wirkt auch ein Durchgang, den Sie bei genügend Platz durch zwei kräftige Zimmerpflanzen, zierliche Möbelstücke oder elegante Bodenvasen schaffen können. Er trennt die verschiedenen Bereiche auf dekorative Weise.

Pflanzen helfen bei der Unterteilung.

Ungünstiger Grundriss

Ein schlecht geschnittener Raum.

Problemsituation

Nach der Lehre des Feng Shui wird auch die Form von Räumen begutachtet. Als besonders günstig gelten rechteckige oder quadratische Grundrisse, da diese entsprechend dem Bagua (→ Seite 16) alle Zonen gleichmäßig stark angelegt haben. Somit sind auch im Raum alle wichtigen Lebensbereiche ausgewogen vertreten. Wenn jedoch ein Mauervorsprung hineinragt, dann entsteht meist eine L-Form. In Bezug zur breiteren und offeneren Seite des Zimmers mangelt es dem beschnittenen Teil an ausreichender Lebensenergie, es entsteht ein Energiegefälle. Um dies auszugleichen, sind Feng-Shui-Maßnahmen sinnvoll.

Spiegel und Pflanzen

Sie brauchen die Problemmauer nicht gleich zu entfernen, Sie können den geschwächten Abschnitt auch symbolisch ausgleichen. »Öffnen« Sie ihn, indem Sie an einer oder beiden Wandseiten in Sichthöhe einen Spiegel anbringen, den Sie als ausreichend groß empfinden. Dieser wirkt gewissermaßen wie ein Fenster in der Wand und öffnet den Raum in die Tiefe hinein. Es ist, als ob sich die Mauer optisch auflösen und der Raum nun auch an dieser Stelle ausreichend Tiefe haben würde. Wenn Sie diesen Spiegel gleich so ausrichten, dass er zusätzlich noch die schöne Umgebung oder den Balkon mit seinen prachtvollen Pflanzen in der Spiegelung wiedergibt, dann ziehen Sie gleichzeitig auch das lebendige Chi der Natur ins Zimmer.

Auch Farbe tut's

Als Alternative kann ein Bild oder Poster mit einem Motiv, das ausreichend Tiefe und Perspektive vermittelt, die Wand öffnen und somit den Raum ausgleichen. Eine lebendige Wandbemalung, etwa in Lasurtechnik, oder gar eine das Auge täuschende Malerei wären ebenfalls eine attraktive Lösung.

Der Spiegel »öffnet« die Mauer und spiegelt das Chi der Pflanzen herein.

Die Energie rauscht in den Keller

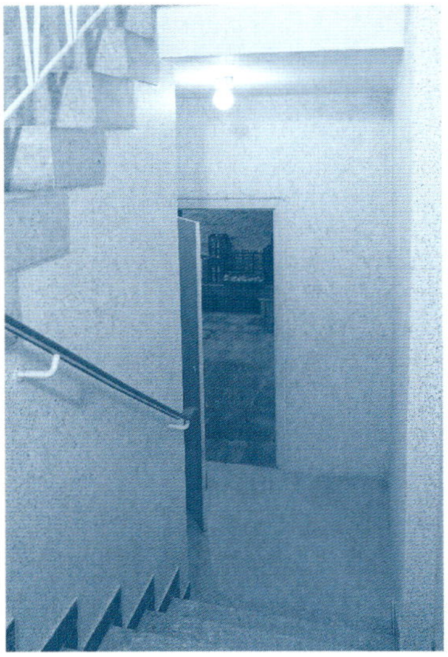

Der Keller zieht Energie ab.

Problemsituation

Worauf fällt Ihr Blick, wenn Sie nach Hause kommen und die Wohnungstür öffnen? Wenn sich gleich gegenüber dem Eingang die Kellertreppe befindet (problematisch wären beispielsweise auch der Abstellraum oder das WC), erzeugt dies einen Energieschwund in die falsche Richtung. Eine große Menge Chi versickert dann ungenutzt in diesem »Nicht-Lebensraum«. Als Folge wird es Ihnen unnötig schwer fallen, sich zu Hause zu entspannen und Ihre Freizeit schwungvoll und kreativ zu gestalten.

Alleskönner Pflanzen

Da ein nachträglicher Umbau Ihres Eingangs wohl kaum möglich sein wird, müssen Sie zu gestalterischen Abhilfen greifen. Am effizientesten wirkt eine bewusste Lenkung der Aufmerksamkeit des Eintretenden. Sie können also eine attraktive und kräftige Pflanze so platzieren, dass sie schon beim Eingang sämtliche Blicke auf sich zieht. Nicht ohne Grund war es früher üblich, bereits ins Entree einen schönen frischen Blumenstrauß zu stellen, der ein freundliches »Willkommen« ausstrahlte. Überlegen Sie daher, wohin Sie die Lebensenergie Chi am liebsten lenken möchten, und schaffen Sie in dieser Richtung einen auffallenden Blickfang. Wenn Sie zusätzlich stets darauf achten, dass die Türen zu den Problemräumen geschlossen bleiben und das Vorzimmer freundlich und gut aufgeräumt wirkt, dann wird der so wichtige erste Eindruck ab nun eine viel positivere Ausstrahlung hinterlassen.

Aufmerksamkeit lenken

Auch ein attraktives Kunstwerk kann den Blick so geschickt fesseln, dass die Problemzone völlig aus der Wahrnehmung verschwindet. Günstig ist auch die Kombination verschiedener Hilfsmittel: So benötigen zum Beispiel ein auffallendes Bild, eine schöne Statue, eine bunte Wandbemalung oder ein strahlender Wandteppich eine gute In-Szene-Setzung mit Hilfe von Licht. Und »Chi ist immer dort, wo die Aufmerksamkeit ist«, besagt ein altes chinesisches Sprichwort.

Die Aufmerksamkeit wird durch Blumen und Kunst gefesselt.

Unruhe durch eine Wendeltreppe

Die Wendeltreppe verursacht starke Energiewirbel.

Problemsituation

Die Treppe ist im Prinzip an jeder Stelle ein Unruhefaktor, da sie ausschließlich für das Auf- und Abgehen genutzt wird. Umso ungünstiger ist es, wenn sie auch noch direkt in den Wohnraum mündet. Besonders Wendeltreppen, die sich ja auf engstem Raum – gleichsam wie ein Korkenzieher – durch das Gebäude bohren, benötigen eine zusätzliche Harmonisierung, denn über sie kann die Energie aus dem Obergeschoss ungenutzt herabstrudeln und dort Mangel erzeugen. Wenn die Wendeltreppe auch einen freien Durchblick ermöglicht, dann wirkt sie besonders unruhig.

Energie anheben

Um das Chi so frei und leicht als möglich nach oben zu transportieren und gleichzeitig den betroffenen Raum zu stabilisieren, empfehle ich eine »Begrünung« des Geländers mit Hilfe einer wüchsigen Pflanze, zum Beispiel dem Kletter-Philodendron (*Philodendron scandens*). Sie erzeugt einen Vorhang aus lebendigem Chi, der zusätzlich auch kraftvoll entlang des Geländers nach oben zieht.

Wenn Sie außerdem direkt an den Fuß der Wendeltreppe noch eine oder zwei nach oben strebende Zimmerpflanzen wie zum Beispiel Palmen stellen, dann unterstützen Sie mit kraftvollem Pflanzen-Chi die innere Schwingung und somit die Ausstrahlung der Treppe. Schwere Terrakotta- und Tongefäße auf den Stufen, den Absätzen sowie unten oder oben gleich neben der Treppe würden im Sinne der Stabilisierung ebenfalls besonders gut tun. Auch sollte stets gutes Licht oberhalb der Treppe mithelfen, zusätzliches Chi dort hinauf zu ziehen.

Pflanzen harmonisieren den Energiefluss auf der Treppe.

Chi-Durchzug von Tür zu Fenster

Die Energie rauscht von der Tür gleich zum Fenster.

Problemsituation

Auch wenn es heute sehr modern ist – gegenüberliegende Türen und Fenster sind aus Feng-Shui-Sicht ungünstig: Wenn Sie gleich vom Eingang aus auf ein Wohnzimmerfenster und durch dieses hinaus blicken, dann symbolisiert das eine starke Außenorientierung und kann zu innerer Unruhe bis hin zum »Getriebensein« führen. Das Chi verweilt nicht lange genug im Haus und wird schnurstracks in gerader Linie wieder durchs Fenster nach draußen gezogen. In so einer Wohnung wird es generell sehr schwer fallen, sich zu entspannen und richtig Wurzeln zu fassen. Unter anderem äußert sich das so, dass die Bewohner häufig außer Haus sind. Auch eine Partnerschaft und sogar das berufliche Wohlergehen kann von einer so außenorientierten und unruhigen Wohnsituation ungünstig beeinflusst werden.

Das Chi im Hause halten

Bringen Sie das Chi wie ein Bächlein zum Schwingen! Ihr Ziel sollte es sein, einen sanften und zirkulierenden Energiestrom zu erzeugen, der sich auch gleich harmonisch in die angrenzenden Räume verteilt. Schon im Flur könnte daher durch geschickt versetzt angeordnete Zimmerpflanzen oder Kleinmöbel ein Chi-Fluss in S-Form erzeugt werden. Auch ein runder Teppich würde die Energie zum Zirkulieren bringen, ebenso eine den Durchzug bremsende Lampe. Hängen Sie zusätzlich ins problematische Fenster ein Chi-bremsendes und Energie verteilendes Klangspiel oder einen attraktiven Regenbogenkristall, der sich mit seinem funkelnden Strahlen dem Energiedurchfluss entgegenstellt. Und noch eine Variante: Platzieren Sie genau in der Durchzugsachse, aber näher beim Fenster, eine große und auffallende Zimmerpflanze wie die Schönmalve (*Abutilon*-Hybride), am besten unterstützt von einer glänzenden Rosenkugel oder auch kombiniert mit dem Klangspiel oder dem Regenbogenkristall. Dies schafft einen attraktiven Blickpunkt im Wohnraum und wirkt gleichzeitig wie ein bremsender Filter für die ankommenden Chi-Ströme.

Pflanzen und Klangspiel bremsen das Chi zu sanften Schwüngen.

Das Schlafzimmer gleich beim Bad

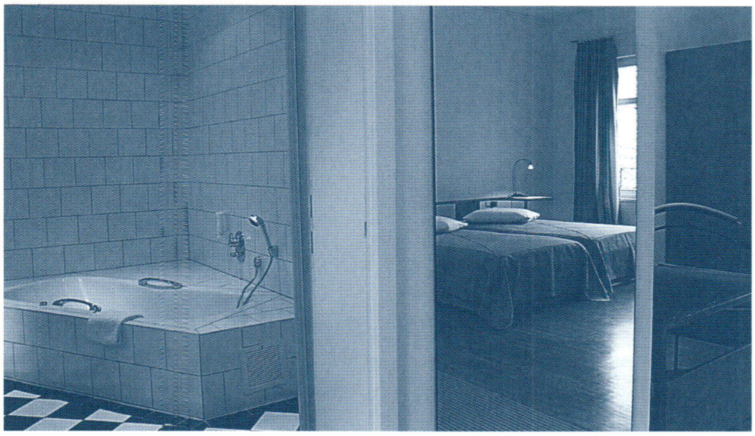

Das Bad zieht Energie vom Schlafzimmer ab.

Problemsituation

Wasser beeinflußt auf direkte und indirekte Weise den Menschen, schließlich bestehen wir zu gut zwei Dritteln aus diesem Element. In Bad und WC wird das Lebenselement Wasser zur Reinigung verwendet, das dabei entstehende Schmutzwasser empfinden wir instinktiv als unerfreulich und belastend. Deshalb sollten die Nasszellen möglichst nicht direkt mit den Lebensräumen des Menschen verbunden sein. Von allen Wohnräumen ist das Schlafzimmer das sensibelste, denn gerade im Schlaf sind wir am empfindlichsten für schwächende und störende Einflüsse, die sich rasch in Gesundheitsproblemen äußern können. Wenn das Bad direkt vom Schlafzimmer aus begehbar ist, sollten Sie Ihrem Wohlbefinden zuliebe Feng-Shui-Maßnahmen ergreifen.

Abhilfe mit Pflanzen, Spiegeln und Farben

Halten Sie die Badezimmertür immer geschlossen und bringen Sie auf der Schlafzimmerseite in Blickhöhe einen kleinen spiegelnden Ziergegenstand an, etwa eine Messing-Sonne oder ein Objekt aus Keramik. So wird die Lebensenergie der Schlafenden zurückgespiegelt und vermieden, dass zu viel Chi ins Bad entweicht. Ein innen an der Badezimmertür angebrachter Spiegel hält andererseits das (Ab-)Wasser-Chi im Bad. Die Energien der beiden Räume sollen sich nämlich im Interesse einer guten Gesundheit nicht zu sehr durchmischen. Stellen Sie zusätzlich im Bad je nach Platz eine oder mehrere Grünpflanzen auf. Farne wie zum Beispiel der Schwertfarn *(Nephrolepis exaltata)* und der Frauenhaarfarn *(Adiantum raddianum)* lieben die hohe Luftfeuchtigkeit in diesem Raum. Bei einem Bad ohne Tageslicht aktivieren Sie den Raum einfach mit Bildern oder anderen Accessoires, die Natur- und Pflanzensymbole enthalten. Wählen Sie auch für Handtücher und Accessoires bunte Farben, vor allem Grün-, Türkis- oder Rottöne.

Der Spiegel hält die Energie im Raum, Pflanzen stabilisieren sie.

Der Eingang führt zum Bett

Das Bett steht neben dem Eingang.

Problemsituation

Wenn Sie von der Wohnungstür fast direkt ins Bett »hineinfallen«, kann dies auf ein ausgeprägtes Schlafbedürfnis oder eine entsprechend starke sexuelle Veranlagung hinweisen.

Generell darf das Schlafzimmer – ein Yin-Raum, in dem Ruhe, Erholung und Rückzug möglich sein sollten – nicht zu nahe am aktiven und daher unruhigen Yang-Wohnungseingang liegen. Und besonders ungünstig ist es, wenn man direkt auf das Bett sehen kann, weil eine solchermaßen ungeschützte Schlafstatt einer übermäßigen Unruhe ausgesetzt ist, die wiederum einer erholsamen Nachtruhe entgegensteht.

Für Schutz sorgen

Versuchen Sie, das Bett so weit als möglich von der Tür weg und damit auch aus dem Blickbereich zu schieben. Wenn das Platz- und Lichtangebot es zulässt, ist die schönste und natürlichste Abschirmung jene mit ausladenden Pflanzen wie der Zimmerlinde *(Sparmannia africana)* oder dem Palmfarn *(Cycas revoluta)*. Auch ein mit einer Kletterpflanze begrüntes Rankgitter kann als grüner Vorhang dienen. Als weiterer Schutz wäre ein abgrenzendes Möbelstück als Raumteiler zwischen Tür und Bett günstig. Geschickt und Platz sparend kann auch eine vorgezogene Gardine neben der Liegestatt für Geborgenheit sorgen. Unterbrechen Sie für einen ungestörten Schlaf dabei immer auch den Blick vom Bett zur Wohnungstür.

Ein pfiffiger Schutz vor zu aggressiven Energieströmen ist auch der vor dem Bett liegende Teppich mit quer laufendem Muster, der eine zusätzliche wirkungsvolle Barriere aufbaut. Versuchen Sie bei allen Maßnahmen, die Aufmerksamkeit vom Schlafbereich weg zu lenken und stattdessen den Blick in Richtung des Wohnzimmers zu ziehen. Das gelingt beispielsweise auch durch eine geschickte Farbgestaltung und Lichtführung.

Pflanzen schirmen den Bereich ganz natürlich ab und stabilisieren ihn.

Der Sitzplatz gleich bei der Tür

Unruhiges Sitzen direkt bei der Tür.

Problemsituation

Die Eingangstür der Wohnung gilt wegen der lebendigen Dynamik des ständigen »Kommens und Gehens« als ausgesprochen Yang-geprägt. Hier überwiegen aktive Schwingungen, und im Normalfall wird der Bereich gleich neben der Tür deswegen auch nicht dazu verwendet werden, um den gemütlichsten Sitzplatz der Wohnung einzurichten oder sich hier einfach einmal zur Entspannung aufzuhalten. Wenn in kleinen Wohnungen das Sofa im Wohnzimmer sehr nahe und vielleicht sogar mit dem Rücken zur Tür steht, wird es bestimmt nicht der beliebteste Sitzplatz sein. Denn wer nicht einmal erkennen kann, wer hinter ihm hereinkommt, hat den unruhigeren und somit aus Feng-Shui-Sicht schwächeren Sitzplatz gewählt. Ein so genanntes »Hektikersofa« besitzen Sie dann, wenn dieses auch gleich vom Wohnungseingang überblickt werden kann. Die langjährige Erfahrung ergab, dass sich die Menschen dort nicht so gut entspannen können wie etwa bei einem geschützten Sitzplatz in einer gemütlichen und kuscheligen Ecke. Das führt sehr schnell zu Nervosität und Hektik. Wer hingegen auf seinem Sofa mit der Blickrichtung zum Eingang sitzt, nimmt ständig bewusst und unbewusst die Tür wahr. Er darf sich nicht wundern, wenn er nur selten zu Hause ist oder nur sehr schwer zur Ruhe kommt. Der Blick von innen zur Wohnungstür symbolisiert nämlich das Weggehen.

Eigene Zone schaffen

Versuchen Sie nach Möglichkeit, das Sitzmöbel zumindest teilweise in einen Raumbereich zu verschieben, der von der Tür weiter entfernt liegt und auch vom Wohnungseingang nicht überblickt werden kann. Wenn ein Umgruppieren der Sitzmöbel oder ein Verändern der Blickrichtung nicht mehr möglich ist, sollten Sie mit Hilfe eines dicht mit Pflanzen bestückten Raumteilers oder Regals beziehungsweise mit ein oder zwei großen Einzelpflanzen wie dem Baumfreund (*Philodendron bipinnatifidum*) eine deutliche Abgrenzung schaffen und auch den Blickkontakt zur Tür unterbrechen.

Pflanzen schützen und grenzen ab.

Unbelebte Raumecken

Eine vernachlässigte Ecke.

Problemsituation

Die Raumecken sind von vornherein neuralgische Zonen: Hier verfängt sich nämlich das durch den Raum zirkulierende Chi besonders leicht. Im Prinzip sollten die Ecken sogar luftiger gestaltet werden als die anderen Bereiche des Raumes. Besonders kantige Ecken erzeugen nämlich bereits im leeren Zustand einen Stau, während bei runden das Chi viel leichter fließen kann. Wenn nun auch noch ein Übermaß an Gegenständen dazukommt, dann ist der freie Chi-Fluss endgültig unterbunden. Jeder kennt aber das Phänomen, dass sich gerade hinter der Tür oder in der Ecke am häufigsten die Kartons, Zeitschriftenstapel oder andere einfach einmal abgestellte und dann vergessene Gegenstände wiederfinden. Eine voll gestellte, sonst nicht weiter genutzte, unattraktive Raumecke erzeugt Stagnation und verursacht in der Folge einen Mangel an Chi. Neben einem unangenehmen Anblick führt dieser Mangel auch zu einer Blockade in der dem Raum zugordneten Bagua-Zone (→ Seite 16), was sich wiederum als Defizit oder Problem im Leben der Bewohner zeigen kann. Eine Belebung und Aufwertung einer toten Ecke ist daher nicht nur aus optischen Gründen sinnvoll, sie bringt auch bislang stagnierende Energien ins Fließen.

Ordnung schaffen

Sorgen Sie als Erstes für Ordnung und achten Sie darauf, dass die Ecke künftig nicht mehr zum wilden Deponieren missbraucht wird. Bestens geeignet zur Aufnahme der Gegenstände sind hier offene Regale, die dann aber auch nicht bis zur Decke gehen sollten und auch nicht allzu voll gestopft werden dürfen. Eine blühende Pflanze sowie warme oder heitere Wandfarben sorgen für zusätzliche Belebung.

Unter der Dachschräge

Wenn die Ecke unter einer Dachschräge liegt, setzen Sie wieder (→ Seite 45) energieanhebende Hilfsmittel ein. Bei Möbeln sollte die Vertikale betont sein, eine Stehlampe oder ein Deckenfluter bringen noch Extra-Chi in die neuralgische Ecke. Wenn ausreichend Platz ist, könnten auch ein aktivierendes Mobile, ein Klangspiel oder eine DNS-Spirale angebracht werden.

Die Zone ist aufgeräumt und durch eine Pflanze belebt.

Ungünstig geformter Esstisch

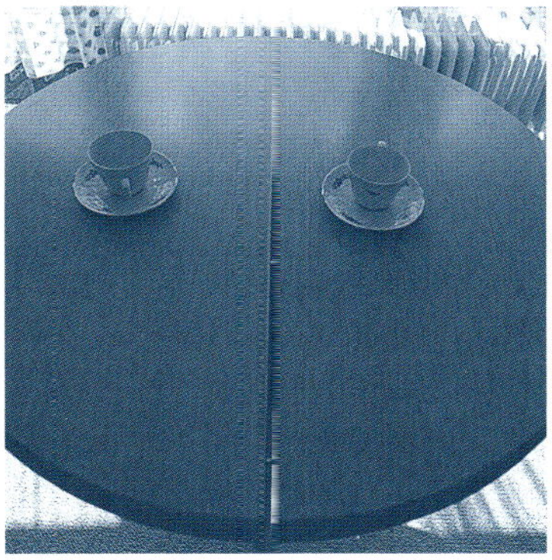

Der Esstisch ist gespalten.

Problemsituation

Eine gute und harmonische Stimmung beim Essen ist deshalb so besonders wichtig, weil selbst ein mit viel Liebe und Freude zubereitetes Essen seine wohltuenden Wirkungen verliert, wenn beim Verzehr »dicke Luft« herrscht. Zank und Streit verderben das schönste Mahl: Die Teilnehmer haben zwar den hungrigen Magen gesättigt, energetisch betrachtet aber auch viele belastende Schwingungen aufgenommen. Für optimales Chi sorgt ein Esstisch mit harmonischer und ausgewogener Form, sie kann rechteckig, quadratisch, rund, oval oder achteckig sein. Fehlende oder abgeschnittene Ecken führen hingegen laut Feng-Shui-Erfahrung besonders häufig zu Streit am Esstisch. Aber nicht nur unregelmässige Tischformen gelten als problematisch, auch Ausziehtische mit sichtbaren Trennfugen – so praktisch sie auch sein mögen – können subtilen Stress und die Symbolik der Trennung erzeugen. Wenn mehrere Personen an einem Tisch sitzen, dann ist ja diese Fläche ihre gemeinsame Bezugsebene. Tafelt nun einer auf der anderen Seite des Spaltes, so zeigt sich die unterschwellig störende Wirkung der Trennfuge: »Irgendetwas« ist zwischen den Menschen, es entzweit, wenn es nicht ständig zwischen zwei Bissen aktiv überbrückt wird – zum Beispiel durch das Gespräch.

Die Trennung aufheben

Stellen Sie am einfachsten direkt auf den Spalt eine schöne runde Vase mit frischen und bunten Schnittblumen. Sie schaffen damit eine harmonisierende und belebende Verbindung der beiden getrennten Tischhälften. Auch ein schönes Deckchen, eine Schale mit Obst oder ein anderes, liebevoll gestaltetes Accessoire kann für die gewünschte Harmonie am Esstisch sorgen. Selbst Tische mit unregelmäßigen Formen oder abgeschnittenen Ecken werden durch eine Tischdecke und ein mit Blumen gestaltetes Zentrum ausgeglichen und harmonisiert. Auch Glastische, deren Symbolik Unbeständigkeit und Instabilität ist, profitieren von einer Abdeckung mit Tüchern und der harmonisierenden Wirkung von darauf gestellten Pflanzen.

Die Vase mit dem üppigen Strauß verbindet die getrennten Hälften.

Chi-Mangel im Arbeitszimmer

Ein kaum inspirierender, blockierter Schreibtisch.

Problemsituation

Der Schreibtisch sollte idealerweise am Kraftplatz des Raumes stehen: diagonal gegenüber der Tür mit Blick zu Tür und Fenster (→ Buchtip Seite 142). Tische mit runden oder geschwungenen Formen unterstützen die Kreativität, während rechteckige strukturiertes Denken und Klarheit fördern. Aber alle diese guten Voraussetzungen helfen kaum, wenn der Schreibtisch nicht aufgeräumt und mit unnötigem Ballast überladen ist. Darunter leiden Konzentration und Effizienz, und da der Schreibtisch auch ein eigenes – noch dazu sehr wichtiges – Bagua (→ Seite 16) besitzt, kann jeder Stapel nicht erledigter Post auch noch eine Zone blockieren.

Die Energien fördern

Räumen Sie den Schreibtisch zuallererst auf, damit das Chi ungehindert fließen kann. Ideal wäre es, wenn Sie dann noch die eine oder andere Bagua-Zone mit förderlichen Energien stimulieren. Gut dafür geeignet sind DNS-Spiralen oder spezielle Glas-Briefbeschwerer (Bezugsquellen → Seite 142). In der Zone Reichtum (vom Sitzplatz aus betrachtet links hinten) wird gerne eine leere Kristallschale gestellt, um Platz zu schaffen für die zukünftige Fülle. Auch frische Blumen machen sich zur Belebung des Schreibtisches besonders gut. Mit der Farbe Rot, etwa in Form eines roten Accessoires oder einer rot blühenden Zimmerpflanze wie der Zimmer-Azalee *(Rhododendron simsii)* lässt sich beispielsweise die Zone Ruhm recht gut stärken und aktivieren. Diese befindet sich genau in der Mitte gegenüber Ihrem Sitzplatz und steht für Ihre Ausstrahlung und Ihr Ansehen.

Die Zukunft gestalten

Worauf blicken Sie unmittelbar vor Ihrem Schreibtisch? Gegenüber des Arbeitsplatzes liegt symbolisch Ihre Zukunft, daher sollten hier nur erfreuliche Energien präsent sein. Weder der Abfallkorb noch das überquellende Regal mit den Ordnern sind hier gut untergebracht. Ideal wäre ein aufbauender Anblick, etwa ein schönes, motivierendes Bild und/oder eine kraftvolle, gesunde Zimmerpflanze wie die Ruhmeskrone *(Gloriosa rothschildiana)*. Dies ist genau das, was Sie für Ihren Erfolg und Ihre tägliche Inspiration brauchen!

Mit Pflanzen und einem Bild belebter Arbeitsplatz.

Krank machende Strahlung

Der Fernseher bestrahlt den Sitzplatz daneben.

Problemsituation

In Innenräumen herrscht meist eine geringere Lebensenergie als in der freien Natur. Wenn dann auch noch »hausgemachte« belastende Einflüsse hinzukommen, sinkt die Raumenergie nochmals dramatisch ab. Gerade in Wohn- und Arbeitszimmern, die die massivste Ansammlung von Fremdeinflüssen ertragen müssen, häufen sich daher die Beschwerden über umweltbedingte Krankheiten, Erschöpfungszustände, Konzentrationsprobleme, Kopfschmerzen und gesteigerten Stress. Verursacher dieser Probleme sind unter anderem die Ausdünstungen von Kunststoffen, Lacken und Teppichen, die in die Atemluft gelangen. Fernseher, Computer und viele andere technische Geräte belasten dazu den Raum mit elektromagnetischen Strahlen. Besonders schädlich ist es, wenn der Bildschirm auch noch ganz nahe bei der Sitzgruppe steht.

Strahlen abschirmen

Neben Fernseher und Computer haben sich einige Pflanzenarten besonders bewährt: So können viele Kakteen, zum Beispiel der Säulenkaktus (*Cereus*-Arten) und der Feigenkaktus (*Opuntia*-Arten) die schädlichen linksdrehenden Strahlen des Bildschirms enorm reduzieren. Achten Sie bei der Wahl des Standplatzes jedoch darauf, nicht zu nahe neben den Stacheln zu sitzen. Die Schadstoffe sollten so weit als möglich reduziert und gleichzeitig Maßnahmen zur Belebung des Raumes getroffen werden: Lüften Sie regelmäßig, denn frischer Sauerstoff steigert das Chi, während verbrauchte Luft zu Erschöpfung und Kopfschmerzen führt. Sitzen Sie am Arbeitsplatz nur, wenn es unbedingt nötig ist, beim Computer und schaffen Sie sich am besten einen weiteren Sitzplatz, der einige Meter entfernt ist. Frisches, sprudelndes Wasser, etwa aus einem kleinen Zimmerbrunnen, erhöht das Chi und auch die Luftfeuchtigkeit. Gesunde Zimmerpflanzen sollten auf keinen Fall fehlen, denn sie repräsentieren die frische Vitalität der Natur, reinigen die Luft und geben Vitalkräfte an den Raum ab. Allerdings sollten Sie Ihre grünen Lieblinge auch gut pflegen, denn kränkelnde Pflanzen symbolisieren Verfall und Energieverlust.

Kakteen schirmen die Strahlung ganz natürlich ab.

Probleme auf dem Balkon dämpfen

Innen und Außen

Das Ziel des Feng Shui ist es, die bestmögliche Harmonie zwischen Mensch, Gebäude und Umgebung zu erzeugen. Eine bedeutende Rolle spielt dabei der Balkon, da dieser einen perfekten Übergang schafft zwischen Innen und Außen, zwischen Wohnung und Umgebung. Einerseits kann er in Richtung zur Außenwelt wie ein schützender Filter wirken, der störende Einflüsse aus der Nachbarschaft abschottet. Andererseits bewirkt der Balkon aber auch eine förderliche Stärkung der »Aura« der Wohnung, da er den Lebensraum nach außen ausdehnt. Beide Aspekte wirken sich positiv auf die Bewohner aus, aber eben nur dann, wenn der Balkon durch die richtige Gestaltung auch diesen Zweck erfüllen kann. Daher sollten Sie zunächst einmal in Ruhe beobachten und überlegen, ob auf Ihrem Balkon etwas zu verbessern ist.

Filter für den Balkon

Bei den am häufigsten vorkommenden Problembalkonen müssen harmonisierende »Filter« zur Außenwelt eingerichtet werden, damit sich die Menschen hier überhaupt wohl fühlen können. Ganz gleich, ob Lärm, Staub, Gestank, eine unangenehme Aussicht oder die neugierigen Blicke von Passanten und Nachbarn der Grund sind: Durch üppige Begrünung mit Pflanzen und abgrenzende zusätzliche Hilfsmittel lassen sich Störungen leicht ausgleichen, damit sowohl auf dem Balkon wie in der angrenzenden Wohnung nun Ruhe, Intimität und Harmonie einkehren können. Dabei darf aber nicht einfach nur eine dicke »Mauer« errichtet werden, denn dann fühlt man sich schnell blockiert und eingesperrt. Stattdessen sollten Sie ganz genau schauen, was Sie stört und wie Sie es am besten ausgrenzen wollen, gleichzeitig aber auch beachten, welche ansprechenden und aufbauenden Ausblicke Sie weiterhin genießen möchten. Am förderlichsten ist es nämlich, wenn Sie trotz aller notwendigen Problemlösungen weiterhin so gut wie möglich auch noch Weitblick und Perspektive vom Balkon aus erleben und genießen können. Dies gilt sogar, wenn Sie den Einfluss eines nahen und übermächtigen Hochhauses dämpfen müssen. Um sich nicht vollkommen abzuschotten, können hier kreative, piffige und »ablenkende« Maßnahmen oft besser wirken als eine mächtige Schutzwand – sogar, wenn diese aus immergrünen Balkongewächsen besteht.

Balkone neu beleben

Jeder nicht genutzte Teil der Wohnung stellt eine brachliegende Ressource dar. Sogar der »Wirtschaftsbalkon«, auf dem allerhöchstens die Wäsche zum Trocknen flattert, wäre es daher wert, dass Sie ihm eine neue, attraktivere Gestaltung und Funktion verleihen. Ein Beispiel finden Sie auf Seite 62: Der Mini-Zen-Garten mit Sitzplatz und einer individuell ausgewählten Pflanze. Warum denn nicht? Selbst wenn diese Maßnahme nur dazu da ist, den Anblick vom Fenster aus aufzuwerten, hat sich die Mühe schon gelohnt. Immer wieder werden Sie »zufällig« oder absichtlich diesen Anblick suchen, und gewiss wird ein Teil von Ihnen diese neue Gestaltung als qualitative Bereicherung empfinden. Und in der Folge steigert sich dadurch sowohl Ihr persönliches Chi als auch das der Wohnung – und in Ihrem Leben wird ebenfalls vieles wieder »in Fluss« kommen.

Hochhaus als Nachbar

Dominantes Nebengebäude.

Problemsituation

Ein dominantes Gebäude als Nachbarn zu haben, kann das Leben sehr beeinträchtigen. Unbewusst fühlen sich die Menschen hier bedrängt, ohnmächtig, möglicherweise sogar eingesperrt. Es macht aber einen Unterschied, ob das Hochhaus vorne, seitlich oder hinter Ihrem Gebäude steht. Am störendsten wirkt es, wenn es genau vor Ihrer Hauptblickrichtung steht und Ihnen die Sicht und den Ausblick verstellt.

Abhilfe auf dem Balkon

Stärken Sie mit allen zur Verfügung stehenden Mitteln das Chi Ihres Balkons, um ein eigenes Kraftfeld aufzubauen, in dem Sie sich sicher und geborgen fühlen können. Eine geschickte Sofortmaßnahme ist die dichte Bepflanzung der Brüstung des Balkons, um zumindest optisch das störende Gebäude so weit als möglich auszusperren. Gleichzeitig sorgen die gesunden Pflanzen für lebendiges Chi in Ihrer Umgebung, was wiederum Ihnen und natürlich auch der Ausstrahlung des Balkons und der Wohnung zugute kommt. Ergänzend dazu können Sie nun strahlende und/oder reflektierende Gegenstände anbringen: Mehrere glänzende Rosenkugeln am Balkon, ein Windrad (beide Hilfsmittel zerstreuen das störende Sha des Hochhauses, → Seite 25) oder der lustige Wetterhahn, der sich symbolisch mit lautem Krähen und geöffnetem Schnabel gegen den lästigen Eindringling zur Wehr setzt, sind gut wirksame und beliebte Feng-Shui-Abhilfen in solchen Fällen.

Spezielle Pflanzen

Je stärker Sie ein animierendes Gefühl von Exotik auf Ihrem Balkon verankern, desto unbedeutender wird das Hochhaus im Hintergrund für Sie und Ihre Familie werden. Wählen Sie daher sowohl Pflanzen als auch Accessoires, die für Sie das Außergewöhnliche repräsentieren. Hervorragend eignen sich dafür zum Beispiel Zitronen- *(Citrus limon)* oder Orangenbäumchen *(x Citrofortunella mitis)*, die sofort ein südländisch entspanntes und »leichtes« Ambiente erzeugen – genau jene Stimmung, die Sie brauchen, um das schwere und drückende Sha des Nachbarn auszugleichen!

Pflanzen und spiegelnde Accessoires filtern und zerstreuen Sha.

Straße läuft auf den Balkon zu

Die Zufahrt zielt auf den Balkon.

Problemsituation

Eine Straße, die direkt auf den Balkon zuläuft, kann dort und auch in der dahinter liegenden Wohnung große Unruhe und Irritation verursachen. Erfahrungsgemäß haben die Bewohner oft auch eine unruhige und bewegte Geschichte. Die auf den Balkon zulaufenden aggressiven Energien schwächen auf unsichtbarer Ebene ständig das Gebäude und greifen somit auch die Lebensenergien der Menschen an. Ähnlich wirkt übrigens eine Straße, die direkt in Richtung des Eingangs läuft.

Schutz durch Pflanzen

Je effektiver Sie Ihren Balkon vor dem angreifenden Sha der Straße abschirmen, desto besser. Eine dichte Bepflanzung oder eine Mauer wäre im Garten die richtige Lösung, auf dem Balkon muss da aus Platzgründen schon zurückhaltender vorgegangen werden. Wenn möglich, wäre aber auch hier eine blickdichte und das Objekt der Störung komplett wegfilternde Abtrennung ideal, etwa mit immergrünen Gehölzen bepflanzte Tröge oder eine Sichtschutzwand, in Form eines Segels oder eines Holzgestells.

Reflektierende Hilfsmittel

Sollte dies nicht möglich sein, so helfen zwei oder mehrere geschickt platzierte Rosenkugeln, die mit ihren konvexen Oberflächen das einstrahlende Sha zerstreuen und reflektieren. Diese finden sich heute immer häufiger auf Balkonen und auch in Gärten, weil sich die Bewohner mit ihnen wohl fühlen. Unbewusst erspüren sie nämlich ihre schützende und abwehrende Wirkung. Aber auch jedes andere Accessoire mit glänzender und somit reflektierender Oberfläche erzielt denselben Effekt. Frei an Fäden im Wind baumelnde Spiegelblättchen etwa oder ein metallisch glänzendes Windrad, mit dem auch Kinder gerne spielen – Ihrer Kreativität sind bei der Wahl keine Grenzen gesetzt. Die klassische Feng-Shui-Lösung zur Abwehr ungünstiger Einflüsse von außen ist übrigens ein achteckiger Bagua-Spiegel, der über Balkontür oder Fenster angebracht wird. Er verhindert ebenfalls, dass schwächende Energien in die Wohnung eindringen.

Pflanzen und Accessoires reflektieren Störeinflüsse.

Ungenutzter Balkon

Der Balkon wirkt leblos.

Problemsituation

Ebenso wie ein gerne frequentierter Balkon viel förderliche Energie für Haus und Bewohner aktiviert, kann ein nicht genutzter ungünstig auf das sensible Gefüge eines Hauses wirken: Ein Teil des zur Verfügung stehenden Energiepotenzials liegt auf diese Weise brach. Im übertragenen Sinne bedeutet dies, dass die Bewohner auch im Leben nicht alle ihre Talente oder Möglichkeiten so effizient nutzen, wie sie es könnten. Wenn der Balkon jedoch sogar zum Schandfleck verkommt, weil aus ihm ein unordentlicher Abstellbereich wird, dann kann dies auf den einen oder anderen »blinden Fleck« im Leben hinweisen und auch auf die Neigung, Dinge unerledigt beiseite zu schieben. Wie auch immer sich die Situation bei Ihnen darstellen mag, eines ist sicher: Ungenutzte Bereiche – egal ob im Innenraum oder auf dem Balkon – deuten stets auf mangelnde Lebendigkeit und nicht optimale Nutzung der Ressourcen im zugeordneten Bagua-Bereich (→ Seite 16) hin.

Neue Nutzungsideen

Egal, wie klein Ihr Balkon auch sein mag, für einen einfachen Holzstock als Sitzplatz mit einem bequemen Kissen drauf wird immer Platz sein – und schon können Sie im Freien Ihrer Meditation nachgehen. Oder Sie gestalten mit etwas Kies, einem schönen Bachstein und einer Pflanze einen Mini-Zen-Garten in der Kiste, der Ihnen zu jeder Jahreszeit einen freudvollen und inspirierenden Anblick bieten wird. Oder, oder, oder ... was würde Ihnen Spaß machen, Sie beim Betrachten immer wieder inspirieren und Sie mit Freude erfüllen? Genau das wäre Ihre ganz persönliche Feng-Shui-Lösung – viel Spaß!

Leben durch Tiere

Wenn Sie den Balkon jedoch weiterhin nur zum Wäschetrocknen und Lüften der Schuhe verwenden wollen, sorgen Sie wenigstens zusätzlich für erfreuliche Höhepunkte: Ein Futterhäuschen etwa, das Sie für die gefiederten Freunde installieren, bringt Ihnen in der kalten Jahreszeit einige Monate lang viel luftiges und zartes Chi auf Ihren Balkon. Im Sommer könnten Sie ein kleines Vogelbad installieren, das erfahrungsgemäß auch gerne als Tränke viel besucht werden wird.

Ein Mini-Zen-Garten inspiriert und bringt Lebendigkeit.

Abgeschotteter Balkon

»Aussichtslose« Balkone.

Problemsituation

Immer mehr Menschen neigen dazu, sich ihren Privatbereich gegen unerwünschte Blicke drastisch abzuschotten: Auf den Balkonen reihen sich Pflanztrog an Pflanztrog, dazu werden massive Holz- oder Kunststoffwände aufgestellt, blickdichte Matten gespannt und überdimensionierte Schirme entfaltet. Durch diese Maßnahmen geht einer der wichtigsten Feng-Shui-Faktoren verloren: der Weitblick, die Übersicht, die Perspektive – und damit der Kontakt zur Außenwelt. Von jedem Standort, an dem sich ein Mensch länger aufhält, sollte nämlich zumindest ein »Fenster« zur Welt existieren. Balkone, die ja im Allgemeinen noch unmittelbar vor dem Wohnzimmerfenster liegen, dürfen niemals dermaßen verbarrikadiert werden, dass der Weitblick zur Gänze verloren geht. Das würde nicht nur den Kontakt zur Außenwelt beeinträchtigen, sondern auch zu Isolierung führen.

Weniger ist mehr

Ist auch Ihr Balkon nahezu komplett von der Umwelt abgeschottet? Damit Sie nicht so isoliert bleiben, sollten Sie so rasch als möglich für ein schönes Sichtfenster in Ihrer Balkongestaltung sorgen. Hierfür stellen Sie sich am besten auf den Balkon und betrachten Ihre Umgebung: Wo ist der schönste und wo der wichtigste Anblick in Ihrer Umgebung? Achten Sie darauf, dass dieser möglichst auch noch im Winter sichtbar ist, wenn Sie innen in der Wohnung am Fenster stehen oder vom Sessel aus hinausschauen. Um diesen Ausblick zu erhaschen, entfernen Sie, was möglich ist – also notfalls auch ein paar Pflanzen oder die Markise. Im Idealfall sollten Sie immer noch Ihre Privatsphäre genießen können, aber auch durch einen schönen Ausblick bereichert werden. Dadurch bekommen Sie wieder unmittelbaren Kontakt zur Umgebung und auch den Menschen.

Zwischen den Pflanzen öffnet sich ein schöner Ausblick – wie ein Gemälde.

Einsehbarer Balkon

Ein ungeschützter Balkon.

Problemsituation

Der Balkon stellt – wenn er gut genutzt wird – gewissermaßen ein erweitertes Wohnzimmer dar. Er vergrößert den Bewegungs- und Lebensraum während der warmen Jahreszeit, und zusätzlich hat seine Nutzung auch noch eine sehr anregende Wirkung auf die ihm zugeordnete Bagua-Zone (→ Seite 18). Um alle diese förderlichen Eigenschaften auch wirklich entfalten zu können, soll der Balkon jedoch genügend Privatsphäre bewahren, damit die Benutzer auch wirklich unbeschwert und zwanglos agieren können. Wenn man bei jeder Bewegung überlegen muss, wer denn nun gerade wieder alles mit neugierigen Blicken beobachtet, wird man sich nämlich nicht wirklich entspannen und auch das förderliche Energiepotenzial des Balkons nicht optimal nutzen können. Wenn es die Neugier der Umgebung erfordert, sind schützende Maßnahmen unbedingt notwendig.

Privatsphäre schaffen

Zumindest die Sitz- oder Liegezone auf dem Balkon sollte ausreichend Intimität bieten, um sich unbeobachtet fühlen zu können. Wenn Sie diesen Bereich mit einem Spalier versehen und mit Kletterpflanzen wie der Waldrebe (*Clematis*-Arten) begrünen, haben Sie neben einem Sichtschutz auch noch einen sehr schönen Anblick. Wenn diese Pflanzen im Herbst das Laub abwerfen, können Sie noch die weitere Aussicht in die Umgebung genießen. Wenn Sie die Möglichkeit haben, Gewächse im Haus zu überwintern, vergrößert sich Ihr Spielraum noch enorm: Sie können nun auch Pflanzen wie den Granatapfel *(Punica granatum)* wählen, die nicht winterhart sind. Sorgen Sie auf jeden Fall für eine farbenprächtige und kreative Mischung – auch das leuchtende Wandelröschen (*Lantana-Camara*-Hybriden) oder sogar der Bambus *(Bambusa vulgaris)* schätzen im Sommer einen Platz auf dem Balkon. Je bunter und vielfältiger Sie die Bepflanzung gestalten, desto mehr Freude werden Sie an Ihrem Balkon-Garten haben, und umso öfter werden Sie diesen Bereich auch nutzen. Wenn trotz der Pflanzen noch eine Sichtschutzwand nötig wird, sollte sie nicht kahl und abweisend sein – bemalen oder begrünen Sie sie einfach.

Pflanzen wehren aufdringliche Blicke ab.

»Windgebeutelter« Balkon

Der Wind bläst um den Balkon.

Problemsituation

Balkone sind oft recht windexponiert, vor allem in den oberen Stockwerken. Wind in Maßen kann durchaus positiv wirken, denn fehlt es an Luftbewegung, wird alles träge, und Neues wird sich nur schwer entwickeln. In windreichen Gegenden besteht hingegen die Gefahr der Flüchtigkeit: Vieles wird in einem solchen Umfeld verweht, Gedanken und Ideen kommen und werden vergessen, es mangelt an Beständigkeit und Kontinuität, wie beim sprichwörtlichen »Fähnchen im Wind«. Ein zu windiger Balkon ist also nicht nur deshalb unangenehm, weil es dort die Sonntagszeitung verweht, er hat auch Konsequenzen in Hinblick auf das Leben der Benutzer. Deshalb sollte ein solcher Balkon stets so weit gegen den Wind abgeschottet werden, dass ein ungestörter Aufenthalt und damit die Nutzung seines positiven Energiepotenzials wieder möglich wird.

Schützende Windbrecher

Setzen Sie dem Wind einfach ein pfiffiges Segel aus dichtem Stoff in lebhaften Farben entgegen, das bei ausreichender Größe viel abfangen kann. Mit dicht wachsenden Kletterpflanzen wie dem Geißblatt *(Lonicera henryi)* können Sie dazu einen lebendigen Windschutz gestalten. Achten Sie aber darauf, dass ein Sichtfenster in die Welt verbleibt (→ Seite 63), und schotten Sie sich nicht ganz ab. Alternativ können Sie auch einen Teil des Balkons verglasen, das bringt den gewünschten Windschutz und bewahrt die Aussicht.

Pfiffige Windbrecher sorgen für mehr Ruhe und Harmonie.

Wind-Accessoires

Drehende Windräder, bunt flirrende Bänder, flatternde Windsäcke oder kunstvoll gestaltete Windmesser sind eine gute Ergänzung bei der Feng-Shui-gerechten Gestaltung eines dem Wind ausgesetzten Balkons. All diese Gegenstände machen sich nämlich die Kraft des Windes auf pfiffige Art zu Nutze: Sie wandeln sie in Eigenbewegung um und repräsentieren somit symbolisch die Beständigkeit, die in der Lage ist, trotz heftigsten Windes den angestammten Platz zu behaupten. Und sie zeigen auch Ihnen, dass Sie aus dem Wind, »der Ihnen um die Ohren pfeift«, noch einen entsprechenden Nutzen fürs Leben ziehen können.

Über Vergangenes

mach Dir

keine Sorge,

dem

Kommenden

wende

Dich zu.

Tseng-Kuang

Die Bagua-Zonen kraftvoll gestalten

Einfach
und wirksam
mehr Energie
in die
Wohnung
bringen.

Akupunktur in der Wohnung

Symbolik der Zonen

Das neunteilige Bagua (→ Seite 16/17) erklärt recht einleuchtend die Bedeutung der einzelnen Wohnungsbereiche für Ihr Leben und zeigt auch an, ob eine Bagua-Zone fehlt. Das erzeugt ein energetisches Ungleichgewicht und sollte durch geeignete Hilfsmittel (→ Seite 19 und 24/25) ausgeglichen werden. Die in diesem Kapitel aufgeführten Feng-Shui-Maßnahmen werden dabei helfen, die Energie in Ihrer Wohnung harmonisch fließen zu lassen. Dies wird sich wiederum wohltuend auf Ihr Leben auswirken.

Richtig reagieren

Fehlt eine Bagua-Zone oder ist sie ungünstig gestaltet, deutet das auf ein entweder schon ausgeprägtes oder noch zu erwartendes Defizit im Leben der Bewohner hin. Wenn beim Zeichnen Ihres Bagua (→ Seite 18/19) eine Zone einen Fehlbereich aufweist, sollten Sie über Veränderungen nachdenken. Dies darf aber nicht nur auf äußerliche Maßnahmen beschränkt bleiben, wie zum Beispiel das Aufhängen eines Klangspieles. Wirklich anhaltende Resultate erreichen Sie nämlich erst dann, wenn Sie Unstimmiges in Ihrem Inneren, das mit dem fehlenden Bagua-Bereich zusammenhängt, ebenfalls zu verändern suchen.

Richtig kombinieren

Um Defizite auszugleichen und einzelne Bagua-Zonen bewusst zu beleben, stehen Ihnen eine Vielzahl von Pflanzen und Accessoires zur Verfügung.
Ideale Pflanzen für die einzelnen Bereiche finden Sie auf den Seiten 134/135 aufgelistet. Zusätzlich wird auch jede Bagua-Zone einem bestimmten Element zugeordnet (bei der Reichtums-Zone zum Beispiel Holz). Dieses kann zusammen mit seinem nach dem Zyklus der Schöpfung fördernden Element (→ Seite 14/15, hier das Wasser) diesen Bereich stärken, wenn Sie Holz- und Wasserpflanzen (→ Seite 88ff und 120ff), -farben und -Accessoires in der Reichtums-Zone einsetzen.
In seltenen Fällen werden Sie auch ein Zuviel eines Elementes (Holz) kompensieren müssen. Hierfür eignen sich das kontrollierende Element nach dem Zyklus der Kontrolle (Metall spaltet Holz) und ebenso das »erschöpfende« Element aus dem Zyklus der Schöpfung (Feuer verzehrt Holz).
Im Idealfall sollten Pflanzen und die verschiedenen Hilfsmittel ästhetisch miteinander kombiniert werden. Dies schafft eine heitere und ausgewogene Atmosphäre und sorgt für harmonische Blickfänge. Neben den auf Seite 24/25 aufgeführten klassischen Accessoires gibt es auch viele, die direkt in die Pflanzgefäße gesteckt oder gestellt werden können.

Intuition ist wichtig

Vertrauen Sie bei der Wahl der jeweiligen Hilfsmittel stets auf Ihr Gefühl. Auch in diesem Buch nicht aufgeführte, intuitiv ausgesuchte Accessoires können denselben Effekt erreichen. Versuchen Sie jedoch niemals, einen ohnehin sehr gut funktionierenden Lebensbereich noch zusätzlich mit Feng-Shui-Maßnahmen voranzutreiben. Treffen Sie Ihre Maßnahmen nur dort, wo es notwendig ist, dann wird sich Ihr Leben Schritt für Schritt in die optimale Richtung entwickeln. Bedenken Sie aber, dass ein ungünstiges Bagua niemals »Schuld« an einem Problem trägt, sondern betrachten Sie auch die positive Seite von Schwierigkeiten: Sie können an ihnen viel lernen und sich weiterentwickeln.

Die Bagua-Zone Karriere

Bedeutung

Diese Zone befindet sich im Bagua unten in der Mitte und symbolisiert nicht nur die berufliche Karriere, sondern auch, wie sehr Sie bereits Ihrer wahren Lebensaufgabe folgen, die Sie intuitiv verspüren. Außerdem steht Karriere noch für Kommunikation, Willenskraft und Ihre Gefühlswelt.

In Wohnungen mit fehlender Karriere-Zone mangelt es häufig an einer klaren und zielgerichteten Lebensorientierung. Auch Unzufriedenheit, mangelnder Ehrgeiz und fehlende Antriebskraft können damit zusammenhängen.

Gestalten und stärken

Die Zone ist dem Element Wasser zugeordnet. Ideal sind daher die Farbe Blau in allen Schattierungen, die entsprechenden Pflanzen und Accessoires, also alle Objekte, die mit fließendem Wasser zu tun haben, etwa ein Zimmerbrunnen oder Aquarium, aber auch Bilder mit Meer-, Bach- oder Flussmotiven. Fördernd wirkt das Element Metall mit den Farben Weiß, Silber und Gold, Metallpflanzen sowie runden Accessoires oder solchen aus Metall.

Entfernen Sie Chi-Bremser wie herumliegende Schuhe und allzu große Möbelstücke und schaffen Sie ausreichend Platz, denn in übermäßig voll gestellten Bereichen stagniert das Chi. Für ein »harmonisches Fließen« stellen Sie Topfpflanzen auf, die hier vor allem rundblättrig sein sollen. Ein frischer, bunter Blumenstrauß sorgt zusätzlich für Lebendigkeit. Generell sind Bilder und Gegenstände, deren Symbolik an Zukunft, Klarheit, Fortschritt, Weite, Tiefe und Frische erinnern, für diese Zone ideal. Helles Licht ist wichtig, günstig platzierte Spiegel stärken den Raum, indem sie ihn erweitern. Vielleicht finden Sie ja auch Gegenstände und Bildmotive, die Ihre heimlichsten Wünsche widerspiegeln. Diese unterstützen den Neubeginn und das Wieder-in-Gang-Bringen stockender Lebensflüsse.

Die Zimmerlinde stärkt als Wasserpflanze die Zone.

Fehlbereich Karriere

Liegt dieser Bereich außerhalb der Wohnung, sollten Sie versuchen, ihn mit Pflanzen zu »beleben« (→ Seite 19). Je ungehinderter das Chi fließen kann, desto einfacher werden Sie Ihre Lebensziele erreichen. Wenn Ihr Eingang in diesem Abschnitt liegt, dann wird die Zone durch das »Kommen und Gehen« geprägt und auch aktiviert – aber nur dann ausreichend, wenn genügend Platz für das ungehinderte Eintreten der Menschen ist. Sorgen Sie daher für genügend Bewegungsraum.

Auch perlendes Wasser fördert die Karriere.

Die Bagua-Zone Partnerschaft

Auch Töpfe in Feuerfarben sind günstig für die Partnerschafts-Zone.

Bedeutung

Diese Zone liegt in der rechten oberen Ecke des Baguas. Sie repräsentiert Ihre Partnerschaft, Offenheit und Sehnsüchte, Beziehungen zu Freunden, Kollegen und Nachbarn. Eine trostlose oder fehlende Zone kann darauf hinweisen, dass es Paare sehr schwer miteinander haben, oder hier überhaupt ein Single lebt. Die zwei wichtigsten Partnerecken sind die des Gesamtgrundrisses und die Ihres Schlafzimmers, da in diesem Raum Partnerschaft am intensivsten erlebt wird. Die Energie der Zone ist dem weiblichen Element zugeordnet, ein Mangel wirkt sich daher auf Frauen besonders stark aus.

Gestalten und stärken

Partnerzonen sollten Sie sympathisch, offen und einladend gestalten. Wenn Sie dort aufräumen, schaffen Sie symbolisch Freiraum für einen neuen Partner, helfen aber auch einer bestehenden Beziehung, wieder mehr »Luft« zu bekommen. Setzen Sie alle Accessoires möglichst paarweise ein: bequeme Sitzmöbel, Blütenpflanzen, Fotos, Kerzen ... Günstig sind auch weiche Kissen und Landschaftsbilder. Vermeiden Sie hingegen alles, was Einsamkeit oder Einzelgängertum symbolisiert. »Aktivieren« Sie die Zone noch mit besonders fördernden Symbolen, etwa dem Foto eines glücklichen Pärchens, zwei Kristallkugeln, frischen Rosen oder einem zweiarmigen Kerzenständer. Zum Stärken einer bestehenden Beziehung finden hier Fotos und schöne Erinnerungen an das gemeinsame Leben Platz.

Die Elemente einsetzen

Die Zone ist dem Element Erde zugeordnet. Bestens passen daher die Farben Gelb, Orange, Ocker und Braun, Erdpflanzen sowie entsprechende Accessoires. Günstig sind vor allem Objekte aus Terrakotta. Fördernd wirkt auch das Element Feuer mit den Farben Rot und Rosa, Feuerpflanzen sowie leuchtende Accessoires und Kerzen. Alles Lichtvolle wird auch die Beziehung feuriger machen!

Fehlbereich Partnerschaft

Fehlt im Gesamt-Bagua Ihrer Wohnung die Partnerecke, so gleichen Sie dies am einfachsten wie oben beschrieben in der Partnerecke Ihres Schlafzimmers aus und umgekehrt. Entfernen Sie unbedingt alle Gegenstände, deren Symbolik auf Trennung und Streit hinweist – zum Beispiel eine gesprungene Vase oder ein Bild, auf dem sich die Partner voneinander abwenden. Wählen Sie stattdessen Zweisamkeit symbolisierende, gepaarte Accessoires.

Zwei Granatäpfel sind symbolträchtige Hilfsmittel für diese Zone.

Die Bagua-Zone Familie

Bedeutung

Gleich links von der Bagua-Mitte befindet sich die Zone der Familie, der Eltern und Vorfahren. Diese symbolisiert alles, was Ihnen auf den Lebensweg mitgegeben wurde. Ein guter Kontakt zu Ihren Eltern ist auch deswegen so wichtig, weil er den Energiestrom zwischen Ihrer Vergangenheit und Zukunft harmonisiert. Je gespannter das Verhältnis zu Ihren Eltern oder Vorfahren ist, desto mehr Energie wird dadurch blockiert – zu erkennen meist an einer ungenutzten oder unordentlichen Familien-Zone. Trennen Sie sich von alten und nicht mehr benötigten Gegenständen – dies wirkt befreiend, sorgt für besseren Energiefluss und unterstützt damit auch eine bessere Zukunft. Vieles, das ansonsten nur mühsam erreicht werden könnte, wird somit einfacher. Auch das Verzeihen von früher erlittenen Verletzungen kann durch Sanieren, Entrümpeln und Saubermachen gefördert werden.

Gestalten und stärken

Das Element Holz gehört zu dieser Zone, ideal sind daher die Farben Grün, Türkis und Hellblau, die Holzpflanzen, entsprechende Accessoires wie schlanke, aufstrebende Gegenstände aus Holz oder große und gesunde Zimmerpflanzen sowie Bilder mit Natur- und Waldmotiven. Fördernd wirkt auch das Element Wasser mit der Farbe Dunkelblau, entsprechenden

Das Wohnzimmer ist oft das Zentrum der Familie.

Hilfsmitteln und Gewächsen. Sorgen Sie konsequent für Ordnung, Luft, Licht und Klarheit in dieser Zone. Entfernen Sie alles, was alt und unwichtig geworden ist. Entrümpeln Sie auch die Familien-Zonen der einzelnen Räume. Nun könnten hier Fotos oder andere Andenken an Ihre Familie einen Platz finden. Schöne Musik aus der Stereoanlage und auch Klangspiele stimulieren in der Familien-Zone selbst antriebslose Menschen. Umgekehrt sollte zum Dämpfen allzu streitlustiger Menschen die Familien-Zone betont »leise« gestaltet werden.

Fehlbereich Familie

Ein Defizit im Familienbereich bewirkt häufig Antriebslosigkeit und fehlendes Durchhaltevermögen. Da diese Zone auch die Vergangenheit repräsentiert, können noch Schwierigkeiten beim Umsetzen neuer Ideen eintreten, wenn sie fehlt. Aktivieren Sie daher zum Ausgleich die Familien-Zone eines oft genutzten Raumes in Ihrer Wohnung. Installieren Sie zum Beispiel einen kleinen Zimmerbrunnen, den Sie mit einigen passenden Gewächsen bepflanzen und gut mit Licht in Szene setzen – und schon fließt das Chi!

Auch die Küche dient als Familiendrehscheibe.

Die Bagua-Zone Reichtum

Bedeutung

In der linken, hinteren Ecke Ihrer Wohnung – von der Eingangstür aus betrachtet – befindet sich Ihre Reichtums-Zone. Diese bezieht sich auf Ihr Lebensglück und auf die vielen guten und »bereichernden« Erfahrungen, die das Dasein erst lebenswert machen. Neben dem finanziellen Wohlstand sind hier also auch immaterielle Geschenke und Erfahrungen angesprochen. Wenn Ihnen immer wieder das Geld zwischen den Fingern zerrinnt oder Ihr Selbstwertgefühl eine Stärkung vertragen könnte, sollten Sie sich Ihre Reichtums-Zone genauer ansehen. Gutes Chi in diesem Abschnitt steigert auch Ihre Fähigkeit, immaterielle Werte und verborgene Chancen besser zu erkennen.

Wasser: gut für die Reichtums-Zone.

Gestalten und stärken

Die Zone ist ebenfalls dem Element Holz zugeordnet. Bestens passen daher die Farben Grün, Türkis und Hellblau. Hilfreich zur Aktivierung der Reichtumsecke ist alles, was »Holzenergie« erzeugt, sind gesunde und kräftige Pflanzen sowie schlanke, aufstrebende Accessoires aus Holz. Fördernd wirkt das Element Wasser mit seinen Pflanzen und den Farben Dunkelblau und Schwarz. Alle Objekte, die mit sauberem und lebendigem Wasser betrieben werden, steigern das Chi dieser Zone, zum Beispiel ein gut gewartetes Aquarium, aber auch Bilder von fließendem Wasser. Eine leere, »sammelnde« Schale, gute Beleuchtung, Symbole der Fülle und des Wohlstandes aktivieren die Zone ebenso. Weiter eignen sich noch jene persönlichen Gegenstände und Bilder sehr gut, die in Ihnen Gefühle von Glück, Kraft und Selbstbewusstsein auslösen. Auch alle bewegten und bewegenden Gegenstände wirken günstig: Skulpturen, Windräder, Mobiles, Federn und alles luftig-duftige. Abwasserrohre aus Bad oder Toilette führen zu Energieverlust und sind besonders in dieser Zone problematisch – schließlich repräsentiert das Wasser auch Leben, Fülle, Gedeihen und Wohlstand. Stärken Sie den Raum energetisch mit einem Regenbogenkristall oder einer DNS-Spirale (→ Buchtip Seite 142).

Fehlbereich Reichtum

Ein Fehlbereich in diesem Abschnitt kann unter anderem auf mangelndes Selbstbewusstsein oder auf mögliche finanzielle Probleme hinweisen. Aktivieren Sie zum Ausgleich die Reichtumsecke eines oft genutzten Raumes. Da diese Zone von den gleichen Elementen gestärkt wird wie die der Familie, sind alle auf der linken Seite genannten Maßnahmen hier ebenfalls gut geeignet.

Auch Symbole des Wohlstandes aktivieren die Zone.

Die Bagua-Zone Zentrum

Fürchte Dich

nicht vor dem

langsamen

Vorwärtsgehen,

fürchte Dich nur

vor dem

Stehenbleiben.

Sinnspruch

Bedeutung

Das Zentrum des Bagua repräsentiert die Gesundheit, denn es ist der Bereich, in dem alle Energien zusammenfließen. Es wird auch Tai Chi genannt und symbolisiert darüber hinaus auch das innere Gleichgewicht, Stabilität, die »innere Mitte«. Wer sich in seiner Mitte fühlt, zentriert und klar fokussiert, dessen Tai-Chi-Energie ist in Harmonie. Das Zentrum des Bagua sammelt und speichert Energie, sorgt aber auch für die optimale Verteilung der Chi-Ströme. Dementsprechend frei und unverbaut sollte es daher sein.
In Asien wie auch im alten Rom wurde daher traditionell die Gebäudemitte in Form eines freien Innenhofes gestaltet. Es war das kommunikative und geistige Zentrum des Hauses und somit auch des Familienlebens. Aber selbst bei uns findet man in großen Räumen oft ein betontes Zentrum: Hier hängt der Kristalllüster, besitzt die Decke eine Stuckverzierung oder der Fußboden ein auffallendes Muster.
Je freier das Zentrum, desto besser werden sich die Energien verteilen. In einem solchen Umfeld können die Menschen ihre Ressourcen besser nutzen, das Leben wird insgesamt ausgeglichener. Herrscht Unordnung im Zentrum oder ist das Tai Chi durch eine Mauer, Säule oder durch Möbel blockiert, dann kann dies das Erreichen der gesteckten Lebensziele enorm erschweren sowie die Gesundheit beeinträchtigen, den Kontakt zu anderen Menschen und die Kontinuität des Lebensweges behindern. Die Mitte eines Raumes sollte daher so frei als möglich bleiben.

Im grössten Raum des Hauses befindet sich oft das Zentrum. Gestalten Sie es am besten hell und offen.

Gestalten und stärken

Die Zone ist ebenso wie Partnerschaft und Wissen dem Element Erde zugeordnet. Günstige Farben für Wände, Einrichtungsgegenstände und Accessoires sind daher Gelb, Ocker und Braun. Gegenstände aus Stein, Keramik, Terrakotta und Ton eignen sich für das Tai Chi hervorragend, ebenso wie Erdpflanzen und Mineralien, beispielsweise Bergkristalle. Fördernd wirkt auch das Element Feuer mit den Farben Orange, Rot, entsprechend »feurigen« Accessoires und Gewächsen sowie Licht.

Sorgen Sie generell im Zentrum für Offenheit und gutes Licht. Setzen Sie aber nur dann Maßnahmen im Tai Chi, wenn Sie aus der Selbstbeobachtung heraus feststellen, daß Ihre innere Mitte blockiert ist, Sie nur schwer Ihr ganzes Potenzial ausschöpfen können – oder wenn Ihre Gesundheit einen Chi-Impuls vertragen könnte. Ein achteckiges oder sternförmiges Bodenmuster, ein runder Teppich oder ein dekorativer Blumentisch in der Raummitte, ein funkelnder Leuchter oder zumindest ein frei von der Decke hängender Regenbogenkristall und

Feuer- und Erde-Accessoires fördern diesen zentralen Bereich.

auch eine DNS-Spirale sorgen für Beständigkeit und beleben das Tai Chi. Selbst Motive von Mandalas oder Bilder und Kunstwerke mit einer klar definierten Mitte eignen sich hervorragend. Jede außergewöhnliche und »zentrierende« Maßnahme kann das Tai Chi besonders aufwerten.
Wenn Sie unter ständiger Unruhe oder gar Stress leiden, dann sollten Sie jedoch keine bewegten Gegenstände im Zentrum haben. Befestigen Sie daher

Eine DNS-Spirale bringt viel Energie ins Zentrum.

auch DNS-Spiralen dort nur an einem sehr kurzen Faden. Plätschernde Zimmerbrunnen, Deckenventilatoren oder luftige Mobiles eignen sich ebenfalls aus diesem Grunde für das Zentrum nur bedingt – außer Sie möchten eine stagnierende Lebenssituation möglichst schnell und effizient auflösen. Das wird übrigens manchmal in Restaurants oder Geschäften so gemacht. Ein derart belebtes Zentrum kann kurzfristig für eine »Dynamisierung« sorgen, sollte aber, sobald es seinen Zweck erfüllt hat, unbedingt ruhiger und stabiler gestaltet werden.

Blockiertes Zentrum

Befinden sich im Tai Chi der Wohnung Kamine, Mauern, der Abstellraum oder schwere Möbel, so kann dies Ihr Leben unnötig erschweren. Ist Ihre Zentrums-Zone dadurch gänzlich blockiert beziehungsweise nur sehr schwierig erreichbar – oder liegt sie überhaupt außerhalb der Wohnung und ist eine Maßnahme an dieser Stelle unmöglich – dann sollten Sie mindestens zwei Tai Chis in den anderen Wohnräumen aktivieren. Messen Sie dort die genauen Mitten aus und betonen Sie sie mit Hilfe der oben genannten Hilfsmittel. Durch diese beiden Ersatzmittelpunkte wird auch die Energie im Zentrum der Wohnung gesteigert und stabilisiert.

Auch Regenbogenkristalle sammeln und verteilen Energie.

Die Bagua-Zone Hilfreiche Freunde

Bedeutung

Die Zone der Hilfreichen Freunde befindet sich rechts an der Bagua-Grundlinie. Sie steht für alle Unterstützung, die uns zuteil wird, und symbolisiert die schöpferischen Kräfte des Universums. Sie ist die männlichste Zone und fördert daher – wenn sie gut genutzt wird – Führungsqualitäten, Autorität, Einfluss, Erfolg, Männlichkeit und Stärke. Wenn Sie sich auf andere verlassen können, Sie unerwartet Hilfe bekommen, sobald Sie solche benötigen, dann ist Ihre Hilfreiche-Freunde-Zone wohl bestens in Schuss. Eine Erweiterung in diesem Bereich kann bedeuten, dass Sie einen großen Freundeskreis pflegen.

Auch Metall-Accessoires bekommen diesem Bereich gut.

Gestalten und stärken

Die Zone ist dem Element Metall zugeordnet. Günstig sind daher Metallpflanzen, alle metallischen Gegenstände wie Klangspiele sowie die Farben Weiß, Silber und Gold. Das fördernde Element ist Erde mit den Farben Gelb, Orange, Ocker und Braun sowie alle »erdigen« Gewächse und Accessoires aus Stein, Terrakotta oder Keramik. Sie können diese Zone noch beleben mit Symbolen der Macht und der Männlichkeit, Schmuck und Kristalle nähren sie ebenfalls. Hier finden auch Bilder oder Gegenstände, die Sie an Ihre wichtigsten Freunde erinnern, ihren Platz. Ja selbst Telefon und Adressbuch passen sehr gut. »Wer gibt, dem wird gegeben, wer Gutes tut, dem wird geholfen«, besagt ein altes Sprichwort und zeigt damit auch die Beziehung der Hilfreiche-Freunde-Zone zur diagonal gegenüberliegenden Reichtums-Zone. Je mehr Sie hier Energien ins Fließen bringen, desto stärker werden die positiven Rückwirkungen sein!

Fehlbereich Hilfreiche Freunde

Wenn diese Ecke fehlt, kann es Ihnen an Unterstützung mangeln oder Sie fühlen sich vielleicht auf sich allein gestellt. Auch Autoritätsprobleme könnten sich einstellen, wie Schwierigkeiten mit Vorgesetzten, Behörden – oder Ihre Kinder entwickeln möglicherweise sehr viel Eigensinn. Ein Fehlbereich schwächt und reduziert die Kraft und Präsenz vor allem der Männer. Häufig wohnt daher in einem solchen Haus eine allein stehende Frau. Stärkend wäre es, sich selbst zu einem »Hilfreichen Freund« zu machen, indem Sie eine ehrenamtliche Aufgabe in Ihrer Kommune übernähmen. Oder Sie kümmern sich ab nun einfach noch aufmerksamer um Ihre Freunde.

Metallpflanzen sind förderlich für die Zone.

Die Bagua-Zone Kinder

Bedeutung

Rechts von der Mitte des Bagua befindet sich die Zone der Kinder, übrigens genau gegenüber der Familien-Zone. Der Kinderbereich repräsentiert nicht nur Ihren Umgang und Ihr Verhältnis zu den eigenen oder fremden Kindern, sondern auch die »schönen Dinge« des Lebens:

Etwas Romantik ist gut für diesen Bereich.

Er steht für Fantasie, Hoffnung, Kreativität, künstlerische Betätigung, Spiele, Tanz, Freude, feines Kochen und genussvolles Speisen. Auch das »gute Gespür« und das Bedürfnis nach Ästhetik, geschmackvoller Einrichtung und schönen Kleidern spiegelt sich hier wider. In diesem Bereich ist auch Romantik bis hin zum Kitsch zu Hause: Sonnenuntergänge, Abendstimmungen und auch Herbstimpressionen entsprechen seiner Energie. Ist diese Zone zwar vorhanden, aber sehr mit Gegenständen vollgestopft, kann sich Ihre Kreativität vielleicht nicht optimal entfalten. Ein beherztes Entrümpeln bringt also nicht nur die Beziehung zu Kindern aller Art wieder in Fluss sondern auch Ihre Inspiration.

Gestalten und stärken

Die Kinder-Zone ist ebenfalls dem Element Metall zugeordnet. Um sie generell aufzuwerten, sind Gegenstände aus Metall oder solche mit metallisch glänzenden Oberflächen und runden Formen sehr günstig. Ideal passen daher auch alle Metallpflanzen sowie die Farben Weiß, Gold und Silber. Genährt wird diese Zone durch die Kraft der Erde, also durch Erdpflanzen, Gegenstände aus Keramik, Ton, Stein oder Terrakotta und die Farben Gelb, Orange, Ocker und Braun. Ihre Kreativität und das persönliche Lebensgefühl profitieren von einer Aktivierung der Kinder-Zone. Diese kann durchaus auch schillernd und einfallsreich gestaltet sein. Lassen Sie einfach Ihre Fantasie spielen! Ideal sind Gegenstände oder Kunstwerke, die an Lebensgenuss erinnern. Da der Kinderabschnitt mit der Zeit des Herbstes und der Ernte in Verbindung gebracht wird, kann eine Belebung dieser Zone auch zu mehr geschäftlichen oder gesellschaftlichen Aktivitäten und Erfolgen führen.

Fehlbereich Kinder

Ein Fehlen dieser Zone kann bedeuten, dass ein Kinderwunsch unerfüllt bleiben wird. Bei vorhandenen Kindern spiegelt sie oft eine schwierige Eltern-Kind-Beziehung oder mögliche Probleme der Kinder wider. Auch kommen dann Lebensgenuss, Freude, Kreativität und Spiel oft zu kurz. Den Fehlbereich gleichen Sie soweit möglich mit den klassischen Hilfsmitteln aus (→ Seite 19). Sie können auch ersatzweise in einem anderen bewohnten Raum die Kinder-Zone beleben und stärken.

Eine Kinderecke ist in dieser Zone bestens untergebracht.

Die Bagua-Zone Wissen

Accessoires aus Ton und in Erdfarben stärken das Wissen.

Bedeutung

Die Wissensecke ist die Zone der Ruhe und des Nachdenkens. Sie befindet sich links an der Grundlinie und symbolisiert die Erkenntnisse, die aus dem Nachdenken und der Meditation entstehen. Wir sollten eigentlich alle mehr auf die Botschaften unserer inneren Weisheit hören und unser Leben danach ausrichten. Nicht zufällig liegt dieser Abschnitt diametral gegenüber der Partnerschaftsecke, was andeutet, wie wichtig für das Gelingen einer Partnerschaft das kontinuierliche Arbeiten an sich selbst ist. »Wissen« meint nicht das bloße Sammeln von Knowhow, sondern die gelebte, erfahrene Erkenntnis. Diese Zone repräsentiert daher auch Willenskraft, Durchsetzungsvermögen, Verlässlich- und Unerschütterlichkeit, ebenso wie die Fähigkeit, sich zum Regenerieren zurückzuziehen.

Gestalten und stärken

Das der Wissens-Zone wie der Partnerschaft und dem Zentrum zugeordnete Element Erde wirkt über die Farben Gelb, Braun, Ocker und Orange, über Erdpflanzen und -Accessoires. Zum Stärken der Wissensenergie kann auch das förderliche Element Feuer dienen mit der Farbe Rot, Feuerpflanzen, feurig-inspirierenden Kunstwerke oder hell strahlenden Leuchten.
Für die Aktivierung der Wissens-Zone eignen sich besonders in sich ruhende, stabile Behältnisse wie Tongefäße, Vasen, Krüge, Truhen, Vitrinen und schwere Möbel. Wenn Sie die ideale Raumzuordnung suchen: Die Bibliothek, der Meditationsraum, der persönliche Rückzugsort sind drei schöne Möglichkeiten, um die Wissens-Zone optimal zu nutzen.

Unharmonisches Wissen

Jedes Ungleichgewicht in der Wissens-Zone ist ausgesprochen ungünstig: Diese »stille« Ecke ist nämlich von allen Bagua-Zonen die sensibelste in Bezug auf einen Fehlbereich und auch eine Erweiterung – beides verändert die hier so dringend nötige Symmetrie ungünstig. So könnte ein Zuviel an Wissensenergie beispielsweise zu Spannungen in den Beziehungen – die Partnerecke liegt diagonal gegenüber – führen, bei einem Zuwenig hingegen mangelt es den Bewohnern häufig an der nötigen Ruhe und dem inneren Frieden.
Kompensieren Sie eine erweiterte Wissens-Zone durch das im schöpferischen Elemente-Zyklus der Erde nachfolgende und dessen Energie aufnehmende Element Metall (Erde erzeugt Metall), also durch die Farben Weiß, Silber oder Gold, Metallpflanzen sowie metallische oder runde Gegenstände.

Feuerpflanzen wie die Amaryllis fördern die Zone.

Die Bagua-Zone Ruhm

Licht und die Feuerpflanze Ruhmeskrone stärken den Bereich.

Bedeutung

Diese Zone befindet sich über dem Zentrum und ist der Gegenpol der Karriere. Ihr Ansehen, Ihre Ausstrahlung, Ihre Wirkung auf andere Menschen sind an diesem Bereich abzulesen. Strahlkraft, Wärme, Klarheit, Helligkeit, Verständnis und Erkenntnisfähigkeit sind typische Ruhmmerkmale. Bei Mangel stellen sich häufig Imageprobleme ein.

Gestalten und stärken

Recht einfach lässt sich diese Zone durch das zugeordnete Element Feuer verstärken, beispielsweise mit offenem Kaminfeuer, durch Kerzen, strahlendes Licht, funkelnde Gegenstände oder inspirierende Kunstwerke. Günstig sind auch die Farbe Rot, schöne Gemälde und Meisterwerke klassischer Musik. Das förderliche Element ist Holz mit kräftigen, gesunden Pflanzen, Bildern mit Naturmotiven, den Farben Grün und Türkis sowie aufstrebenden Formen und Mustern.

Wenn es Ihrem Auftreten an Strahlkraft fehlt oder Sie sich antriebslos fühlen, aktivieren Sie in Ihrer Wohnung die Ruhm-Zone mit Feuerenergie. Bei schlecht gestalteter, düsterer Ruhm-Zone benötigen Sie Klarheit und helles Licht. Entrümpeln Sie das Zuviel, öffnen Sie die Gardinen und installieren Sie Lampen mit guter Leuchtkraft. Aber Vorsicht, ein Zuviel davon – etwa bei zu großen, das gleißende Sonnenlicht nicht ausreichend abschirmenden Fenstern, oder weil die Zone überwiegend in Rottönen gestaltet ist – führt häufig zu Hektik und Nervosität oder dazu, dass die Öffentlichkeit in übertriebenem Maß Anteil an Ihrem Privatleben nimmt und dadurch Ihre Intimsphäre verletzt wird. In diesem Fall sollten die Fenster teilweise abgedunkelt und statt der Farbe Rot andere Töne integriert werden.

Unharmonischer Ruhm

Ein Fehlbereich äußert sich gerne als mangelnde Begeisterungsfähigkeit oder sogar als »eingeschlafene« Leidenschaft. In beiden Fällen sollten Sie ersatzweise in anderen Räumen die jeweilige Ruhm-Zone betonen. Aber Vorsicht, spielen Sie nicht mit dem Feuer: Allzu viel Chi in der Ruhmes-Zone kann auch ungewollten Streit auslösen. Beobachten Sie daher die Veränderungen genau. Eine kleine Erweiterung der Ruhm-Zone gilt als günstig, stärkt sie doch Ihre Ausstrahlung und Ihr Ansehen. Um allzu aktive Ruhmenergie bei großen Erweiterungen zu zähmen, hilft jedoch das kontrollierende Element Wasser oder das erschöpfende Element Erde.

Ein ausgefallener Blickfang passt gut in die Ruhm-Zone.

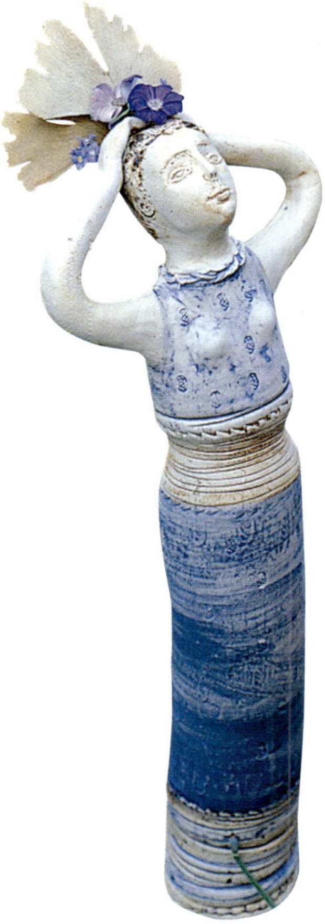

Die geheimen Energien der Pflanzen

Suchst Du
das Höchste,
das
Größte?
Die Pflanze
kann es Dich
lehren.

Friedrich Schiller

Lernen Sie deren verborgene Wirkungen kennen und nutzen.

Tipps zur Auswahl

Die inneren Werte der Pflanzen

In diesem Kapitel finden Sie völlig neuartige Erkenntnisse über das innere Energiefeld der wichtigsten Zimmerpflanzen, die mit radiästhetischen und intuitiven Methoden gewonnen wurden. Daraus ergab sich eine Einteilung nach den Fünf Elementen sowie eine Gruppe von Spezialisten mit ganz besonderen Fähigkeiten. Neben den Symbolen für die Fünf Elemente (→ Seite 14/15) finden Sie in diesem Kapitel folgende Zeichen, die die energetische Wirkungsweise verdeutlichen:

Pflanzen-Spezialist: Hier stehen Pflanzen, die nicht den Fünf Elementen zugeordnet werden können, aber spezielle, aufgeführte Wirkungen haben.

Bagua-Zonen: Hier werden ideale Zonen genannt, in denen die Pflanze ihre Wirkung am intensivsten ausbildet, und oft auch eine Zone, in denen sie ihre Energien nicht voll entfalten kann. Bei Balkonpflanzen gilt dies immer für jene Zone des Wohnungs-Bagua, an die der Balkon angebaut ist (→ Seite 18).

Feng-Shui-Wirkungen: Hier finden Sie Einzelheiten über die Wirkungen der Pflanzen auf den Menschen, das Umfeld oder auch andere Gewächse:

- Stärkende Pflanzen steigern den Energiegehalt und werden überall dort eingesetzt, wo man sich mehr Chi wünscht, mehr Hoffnung, Zuversicht und Mut.
- Harmonisierende Pflanzen schaffen eine Balance, sie helfen, die eigene Mitte zu finden und ausgeglichener zu werden.
- Inspirierende Pflanzen wirken geistig anregend und verbinden mit dem Fluß des Lebens.
- Vermittelnde Pflanzen fördern die Kommunikation unter den Gewächsen, oft aber auch die von Mensch, Pflanze und Raum.

Besonderheiten: Hier werden besondere Eigenschaften und Pflegewünsche der Pflanze genannt.

Ähnliche Pflanze: Hier stehen Arten mit vergleichbaren Wirkungen.

Intuitive Auswahl

Gleichgültig, ob Sie nun ein Problem lösen, eine Bagua-Zone stärken oder ihre inneren Werte nutzen wollen – wählen Sie nur solche Pflanzen, die Ihnen auch intuitiv gefallen! Wenn Sie sie nämlich unbewusst ablehnen, kann Ihnen selbst die stärkste Art nicht helfen. Ein Viertagezyklus wird die richtige Wahl fördern:

- 1. Tag: Buch durchblättern und Wunschpflanzen notieren.
- 2. Tag: Nochmals blättern und ergänzen oder streichen. Sehen Sie auch nach, ob insgesamt bei den Pflanzen Elemente und Spezialisten relativ ausgeglichen vorhanden sind (s. u.).
- 3. Tag: Pflanzen in Gedanken an den geplanten Standort bringen und nötigenfalls intuitiv noch Änderungen vornehmen. Berücksichtigen Sie bei der Standortwahl immer auch die Ansprüche der Pflanze, denn nur wenn sie sich wohl fühlt, kann sie ihre Energien entfalten. Dabei helfen Ihnen weitere Piktogramme (→ Seite 84).
- 4. Tag: Erst jetzt die feste Kaufentscheidung treffen.

Wenn Sie Ihre Intuition stärken wollen, führt übrigens der beste Weg über das bewusste Gestalten des Alltagslebens nach den Zyklen der Natur. Mit Hilfe des »13-Monde-Kalenders« (Bezugsquelle → Seite 142) wird Ihr Leben harmonischer werden.

Harmonie durch Zimmerpflanzen

Betrachten Sie in Ihrer Wohnung immer auch die Gesamtheit der Gewächse: Ideal ist es, wenn Pflanzen von allen Fünf Elementen und auch einige Spezialisten vorhanden sind. Bei fehlenden Gruppen können Sie intuitiv Arten mit passenden Eigenschaften zum Kauf auswählen. Dominieren Pflanzen eines Elements stark, streichen Sie entweder intuitiv einige von der Wunschliste (beziehungsweise verschenken Sie bereits vorhandene in gute Hände) oder wählen Sie zusätzlich noch Pflanzen der schwächeren Gruppen aus.

Pflanzen pflegen und heilen

Richtig pflegen

Alle Topfpflanzen stammen von Wildarten ab – sie in einem kleinen Gefäß in der Wohnung oder auf dem Balkon zu ziehen, ist eigentlich unnatürlich. Manche Arten wie die Rosen verändern im Topf kultiviert sogar ihre Eigenschaften, wie Sie bei einem Blick ins Buch »Feng-Shui – Garten für die Sinne« (→ Seite 142) sehen können.
Topfpflanzen sind viel abhängiger von Ihrer Pflege als Gartengewächse. Damit sie gut gedeihen, sollten Sie ihre Ansprüche berücksichtigen, die Piktogramme rechts helfen Ihnen dabei. Die Pflanzen brauchen auch regelmäßige Gaben eines handelsüblichen Düngers, und hin und wieder wollen sie einen größeren Topf mit frischer Erde: Wenn die Wurzeln bereits unten herauswachsen, wird es Zeit fürs Umtopfen. Weitere Details zur Pflege finden Sie in der Fachliteratur (→ Seite 142).

An einem passenden Standort gedeihen die Pflanzen prächtig.

Die passenden Gefäße

Plastiktöpfe sind für alle Pflanzen unangenehm, sie isolieren sie vom Chi der Umgebung, weshalb Neuerwerbungen bald umgetopft werden sollten. Ideal sind Tontöpfe, am besten unglasierte mit einem Wasserabzugsloch. Untersetzer aus Plastik sind zwar akzeptabel, aber glasierte aus Ton wesentlich besser. Als Übertöpfe sind solche aus glasierter Keramik oder auch Holz geeignet. Die Pflanze kann über natürliche Materialien viel leichter einen energetischen Zugang zur Erde bekommen.

Der »grüne Daumen«

Pflanzen sind Lebewesen mit eigenem Bewusstsein (→ Buchtipp Seite 142). Viele Menschen »sprechen« mit ihren Blumen – und haben eine gute Hand für sie. Dieses Können steckt auch in Ihnen! Jedes Kind hat es noch, beim Erwachsenen braucht es nur wiedererweckt zu werden.

Die Piktogramme zur Pflanzenpflege:

Die Pflanze wächst am besten in der vollen Sonne.

Die Pflanze wächst am liebsten an einem hellen Platz.

Die Pflanze wächst noch an einem weniger hellen Ort.

Die Pflanze viel gießen (im allgemeinen täglich).

Die Pflanze mittel gießen (etwa alle 3–4 Tage).

Die Pflanze wenig gießen (nur bei längerer Trockenheit).

Die Pflanze ist frostempfindlich, im Haus überwintern.

Die Pflanze bildet lange, kletternde Triebe aus.

Die Pflanze hat herabhängende Triebe und wirkt gut in Ampeln.

Wichtig: Einige der hier vorgestellten Pflanzen sind mehr oder weniger giftig. Wenn Sie Kleinkinder haben, sollten Sie auf Giftpflanzen ganz verzichten. Entsprechende Hinweise finden Sie in der weiterführenden Literatur (→ Seite 142).

Dieser Pflanze geht es gut.

Die Bedeutung der Krankheiten

Eine kranke Pflanze zeigt stagnierendes Chi an, und dahinter steckt immer auch eine Botschaft an den Besitzer (→ Seite 22). Sie sollte daher besonders liebevoll versorgt und gepflegt werden – wegwerfen würde bedeuten, dass Sie lediglich das Symbol eines Ungleichgewichtes entsorgen, aber die Ursache nicht beheben. Wenn Sie einmal nicht mehr weiterwissen, wie Sie einer Pflanze helfen könnten, dann »bitten« Sie sie doch um einen Hinweis. Dann wird vermutlich intuitiv ein Gedanke oder ein Gefühl auftauchen, das Sie auf den richtigen Weg bringt.

Natürliche Hilfsmittel

Die Möglichkeiten zur natürlichen Behandlung Ihrer grünen Lieblinge sind vielfältig: Bach-Blüten-Notfalltropfen für gestresste, kränkelnde Pflanzen und homöopathische Mittel können helfen (Bezugsquellen Seite 142). Greifen Sie aber auf keinem Fall zur »chemischen Keule«, sie würde den Chi-Fluss empfindlich stören! Und wenn Sie das Bedürfnis haben, können Sie Ihrem Sorgenkind natürlich auch liebevoll zureden, »die Hand auflegen« oder schöne Barockmusik vorspielen. Werden Sie jedoch so schnell wie möglich aktiv, bevor der Zustand unheilbar wird. Denn jede Pflanze repräsentiert ja einen Teilaspekt von Ihnen – da lohnt sich ein Eingreifen auf alle Fälle.

Störungen aus der Erde

Manchmal gedeihen Pflanzen auch deshalb nicht, weil der Standort durch unterirdische Strahlen, etwa durch Wasseradern oder andere Störenergien, belastet ist. Hier lohnt sich ein versuchsweiser Standortwechsel, denn die meisten Pflanzen lieben strahlenfreie Zonen und gedeihen dort besser, während einige wie die Zierananas *(Ananas comosus)* mit Störenergien ganz gut zurechtkommen.

Manche lieben Accessoires.

Beobachten Sie Ihre grünen Lieblinge genau, deren Veränderungen liefern Ihnen Hinweise auf die Qualität der einzelnen Standorte. Radiästhetisch versierte Menschen können die »guten« von den belasteten Plätzen unterscheiden, aber mit ein bisschen Intuition werden Sie auch ohne Rute die richtigen Standorte für Ihre Pflanzen finden können.

Einige »gesellige« Arten wollen zu mehreren zusammenstehen.

Die Pflanzen des Elements Holz

Die Holzpflanzen

Einführung

Die Energie des Holzelements entspricht der Qualität der Morgendämmerung, des Frühlings, der Himmelsrichtungen Ost und Südost und des beginnenden Wachstums. Es steht für Bewegung, Veränderung, Entwicklung, Harmonie, das Nährende, Entspannende und Schnelle. Diese Qualitäten werden durch das Element Holz ausgedrückt und symbolisch über Holzpflanzen und -Accessoires manifestiert. Geburt, Gesundheit, Leben, die Lebensenergie Chi, die menschlichen Organe Leber, Galle und Augen, auch die Sehnen und der Nacken – alle sind dem Holz zugeordnet.

Stopp: Bitte zuerst die Pflanzen rein intuitiv auswählen und erst danach weiterlesen! Ihr Wissen würde nämlich die freie Wahl der für Sie richtigen Arten erschweren!

Holzenergie und Mensch

Bei ausgeglichener Holzenergie wirkt ein Mensch ruhig und entspannt, ist kreativ, einfühlsam, sanft und vertrauensvoll. Er hat eine starke Ausstrahlung, einen leuchtenden, klaren Blick, eine ausdrucksstarke Stimme und eine ausgeprägte Vorstellungskraft. Seine hohen ethischen Ansprüche lassen ihn zu einem großzügigen, umgänglichen und fairen Menschen werden, der auch teilen kann. Er ist ein guter Menschenkenner und von Natur aus gütig.

Bei unharmonischer Holzenergie neigt der Mensch zu Zorn und Verspannungen, er ist beeinflussbar, unstetig und hypersensibel. Er ist großen Stimmungsschwankungen ausgesetzt, einsam, aber mit starkem Verlangen nach sozialen Kontakten, Wärme und Geborgenheit. Er kann schwer Stress ertragen, fängt vieles an und bringt nur wenig zu Ende, sucht Aufmerksamkeit und lässt sich leicht entmutigen. Er neigt dazu, sich zu viel zuzumuten und manches zu übertreiben.

Was bedeutet Ihre Pflanzenwahl?

Haben Sie sich in dem einen oder anderen Aspekt wiedererkannt, und wollen Sie sich ändern? Dann seien Sie nicht überrascht, wenn die von Ihnen intuitiv gewählten Pflanzen bevorzugt dem Holzelement angehören oder auch eine fördernde oder hemmende Beziehung zu Holz aufweisen. Wenn Sie viele dem Holzelement zugehörige Pflanzen gewählt haben, dann gibt es folgende Möglichkeiten:

- Entweder Ihre persönliche Konstitution benötigt von Grund auf viel Holzenergie
- oder dies weist Sie auf den einen oder anderen bei Ihnen noch besser zu entwickelnden Aspekt hin.

Neben den Holzpflanzen steigern auch lustige Accessoires auf Stäben oder einfach bunte Objekte aus Holz die Holzenergie in der Wohnung und auf dem Balkon.

Wenn Sie ein Zuviel an Holzenergie haben, werden Sie sich wahrscheinlich eher zu den »Holz abziehenden« Feuerpflanzen oder den »Holz kontrollierenden« Metallpflanzen hingezogen fühlen.

Fleißiges Lieschen
Impatiens-Hybriden

Balkon-/Zimmerpflanze
Höhe: 20–25 cm
Blütezeit: Juni–Oktober
Blatt: sattgrün, lanzettlich

Ideal für die Familien-Zone, nicht für das Zentrum, gut für alle anderen.

Das Fleißige Lieschen zählt zu den Vermittlern unter den Pflanzen. Es kann außerdem beim Menschen und auch bei Pflanzen eine spirituell heilende Wirkung unterstützen. Beim Menschen trägt es zusätzlich zur Reinigung auf geistiger Ebene, bei den Pflanzen auf energetischer Ebene bei.

Die Kissen-Berberitze (*Berberis candidula*) ist eine winterharte Balkonpflanze. Sie passt ebenfalls ideal in die Familien-Zone, zusätzlich jedoch auch noch in Reichtum. Sie wirkt vermittelnd und reinigend auf Pflanzen.

Rippenfarn
Blechnum gibbum

Zimmerpflanze
Höhe: 30–100 cm
Blütezeit: bildet Sporen
Blatt: dunkelgrün, gefiedert

Ideal für Familie, Reichtum, nicht für Wissen, Karriere, alle anderen gut.

Der Rippenfarn wirkt sehr inspirierend und anregend auf den Menschen.

Er darf nicht austrocknen und möchte mit zimmerwarmem, kalkfreiem Wasser gegossen werden. Bei liebevoller Pflege und guten Bedingungen bildet der tropische Farn im Alter einen meterhohen Stamm, der dann häufig etwas schräg wächst, was sehr dekorativ aussehen kann. Er braucht aber entsprechend viel Platz.

Spaltblume
Schizanthus-Hybriden

Balkon-/Zimmerpflanze
Höhe: 20–40 cm
Blütezeit: Juli–September
Blatt: hellgrün, farnartig

Ideal für die Familien- und Reichtums-Zone, gut für alle anderen geeignet.

Die Spaltblume gehört zu den Vermittler-Pflanzen. Sie kann trübe Stimmungen aufhellen, und auch bei Depressionen ist sie hilfreich. Ebenso ist sie fähig, aus den unterschiedlichsten Gründen gestressten Zimmerpflanzen zu helfen, beispielsweise, wenn sie durch einen kranken Menschen in ihrem Umfeld überfordert sind. Durch die stimmungsaufhellende Wirkung wird auch die Energie des Raumes aktiviert, in dem die Spaltblume steht.

Die Pflanze mit den bezaubernden, an Orchideen erinnernden Blüten ist einjährig und lässt sich jedes Jahr aus Samen ziehen.

Hortensie

Hydrangea macrophylla

Kübelpflanze

Höhe: 30–60 cm
Blütezeit: Juni–Juli
Blatt: sattgrün, herzförmig

Ideal für die Familien- und Reichtums-Zone, für alle anderen gut geeignet.

Die Hortensie gehört zu den Vermittler-Pflanzen. Sie ist außerdem in der Lage, bei anderen Pflanzen Heilkräfte anzuregen und freizusetzen.

Die Hortensie steht sehr gerne mit anderen Kübelpflanzen zusammen und kann so ihre Wirkung optimal entfalten. Sie ist auch in der Lage, den Schatten der anderen Gewächse zu nutzen, und gedeiht dort gut. Nur kalkhaltiges Gießwasser mag sie gar nicht. Wenn sie zu viel Kalk schlucken muss, bildet sie als »Alarmsirene« gelbe Zonen auf den Blättern aus.

Lorbeer

Laurus nobilis

Kübelpflanze

Höhe: 50–400 cm
Blütezeit: April–Mai
Blatt: sattgrün, lanzettlich

Ideal für die Familien- und Reichtums-Zone, gut für alle anderen geeignet.

Der Lorbeer stärkt die Raumenergie. Er kann Energiespitzen aufnehmen und auf ein verträgliches Niveau bringen, deshalb ist er ein guter Türwächter. In ausreichend hellen Räumen gleicht er Gefühlsextreme aus. Ein guter Platz wäre daher zum Beispiel neben einem Verhandlungstisch.

Der Lorbeer steht gerne im Freien und paarweise, ungern aber neben anderen Pflanzenarten. Er mag keine glasierten Töpfe.

Duftpelargonie

Pelargonium crispum

Balkon- und Kübelpflanze

Höhe: 20–40 cm
Blütezeit: Sommer
Blatt: hellgrün, schildförmig

Ideal für Familien- und Reichtums-Zone, für alle anderen gut geeignet.

Die Duftpelargonie besitzt eine stark harmonisierende Wirkung auf die Raumenergie, besonders bei Störungen durch Erdstrahlen.

Bei jeder Berührung verströmt diese Pelargonie einen zarten Zitronenduft. Mit den essbaren Blättchen können Sie Süßspeisen dekorieren.

Die Aukube (*Aucuba japonica*) ist ebenfalls ideal für die Familien- und Reichtums-Zone, nicht aber für Karriere und Zentrum. Sie wirkt stärkend und harmonisierend im Raum, will aber viel Platz und einen unglasierten Topf.

Kapuzinerkresse
Tropaeolum-Hybriden

Balkon- und Kübelpflanze
Höhe: 25–200 cm
Blütezeit: Juni–Oktober
Blatt: hellgrün, rundlich

Ideal für die Familien- und Reichtums-Zone, gut für alle anderen.

Die Kapuzinerkresse stärkt ihr Umfeld und auch die Menschen in ihrer Umgebung. Sie kann auf sie zusätzlich inspirierend und harmonisierend wirken.

Die essbaren Blüten und Blätter stärken das Immunsystem und fördern die Darmtätigkeit. Die Früchte werden gerne wie Kapern eingelegt. Die schlanken Triebe können Sie an Kletterhilfen aufleiten oder auch malerisch von hochgestellten Töpfen, Ampeln oder der Balkonbrüstung herabhängen lassen.

Granatapfel
Punica granatum

Kübelpflanze
Höhe: 60–200 cm
Blütezeit: Juli–August
Blatt: dunkelgrün, lanzettlich

Ideal für die Familien- und Reichtums-Zone, gut für alle anderen.

Der Granatapfel wirkt ausgesprochen stärkend auf die Menschen und ihr Umfeld.

Er kann jede Form von »geistigen Ausflügen« unterstützen und passt daher gut zu einem Meditationsplatz oder auch neben den Stuhl, in dem Sie gerne hin und wieder Ihren Träumen nachhängen. Der Granatapfel bevorzugt einen Holztopf, am liebsten aus Buche.

Balkonrose
Rosa 'Sonnenkind'

Balkonpflanze
Höhe: 30–40 cm
Blütezeit: Juni–Herbst
Blatt: dunkelgrün, gefiedert

Ideal für die Familien- und Reichtums-Zone, gut für alle anderen geeignet.

Die Balkonrose kann die Atmosphäre ihres Umfeldes stärken und die Schwingungen noch verfeinern. Auf den Menschen wirkt sie inspirierend.

Die Pflanze will ein geräumiges, unglasiertes Tongefäß für sich alleine haben.

Die Palmlilie (*Yucca aloifolia*, eine frostempfindliche Kübelpflanze), ist ebenfalls ideal für die Familien- und Reichtums-Zone und wirkt stärkend und harmonisierend. Sie kann auch Spannungen zwischen Menschen mildern.

Klivie
Clivia miniata

Zimmerpflanze
Höhe: 20–40 cm
Blütezeit: Februar–Mai
Blatt: sattgrün, riemenförmig

Ideal für die Familien- und Reichtums-Zone, für alle anderen gut geeignet.

Die Klivie wirkt auf den Menschen inspirierend und kann auch harmonisieren.

Sie zählt zu den Liebespflanzen. Ihre positive Wirkung setzt besonders dann ein, wenn das erste Feuer der Leidenschaft in einer Beziehung nachlässt. Sie passt sehr gut ins Schlafzimmer und möchte dort möglichst frei stehen.

Flammendes Käthchen
Kalanchoë blossfeldiana

Zimmerpflanze
Höhe: 10–30 cm
Blütezeit: Februar–Mai
Blatt: lindgrün, oval

Ideal für die Familien- und Reichtums-Zone, gut für alle anderen geeignet.

Das Flammende Käthchen zählt zu den Vermittler-Pflanzen. Es kann auf andere Pflanzen heilend wirken, weniger stark auch auf den Raum, in dem es steht.

Das Kussmäulchen *(Hypocyrta glabra)* ist ebenfalls ideal für die Familien- und Reichtums-Zone. Als Vermittler-Pflanze kann es reinigende Wirkungen auf Menschen, deren Gefühle und andere Pflanzen entfalten. Außerdem ist die Pflanze in der Lage, vorhandene Stimmungen im Raum zu verstärken.

Kroton
Codiaeum variegatum

Zimmerpflanze
Höhe: 20–50 cm
Blütezeit: keine
Blatt: mehrfarbig, lanzettlich

Ideal für Familien- und Reichtums-Zone, für alle anderen gut geeignet.

Der Kroton kann beim Menschen einen Liebesimpuls auslösen, beziehungsweise bereits vorhandene Liebesimpulse verstärken.

Der Kroton zählt zu den Liebespflanzen. Er baut Misstrauen ab und hilft, mit Zuversicht ungute Gefühle wie Misstrauen oder Eifersucht zu bekämpfen, aber auch loszulassen und neu zu beginnen. Er wirkt generell kräftigend auf die Partnerschaft und passt daher auch gut ins Schlafzimmer. Gerne steht er neben Klivie und Flamingoblume.

Efeuaralie
Fatshedera lizei

Zimmerpflanze
Höhe: 25–150 cm
Blütezeit: keine
Blatt: sattgrün, fünflappig

Ideal für die Familien- und Reichtums-Zone, gut für alle anderen.

Die Efeuaralie wirkt auf ihr Umfeld und andere Pflanzen harmonisierend.

Die Hochstammrose 'The Fairy' *(Rosa)* ist mit ihren zartrosa Blüten eine auffallende Kübelpflanze. Sie passt ebenfalls ideal in die Familien- und Reichtums-Zone, wirkt vermittelnd und regt beim Menschen die Herzensliebe an, kann emotionale Spannungen abbauen und den Raum harmonisieren. Sie will aber einen sonnigen Standort. Wenn Sie ihren Kübel in Isoliermaterial packen, kann sie auch im Winter auf dem Balkon bleiben.

Christusdorn
Euphorbia milii

Zimmerpflanze
Höhe: 15–60 cm
Blütezeit: Oktober–März
Blatt: dunkelgrün, oval

Ideal für die Familien- und Reichtums-Zone, gut für alle anderen.

Er vermittelt, hilft Pflanzen, Verletzungen auszuheilen, und wirkt reinigend. Auch auf den Menschen hat er eine spirituelle Heilwirkung, und er kann geistige Blockaden anzeigen. Wer diese Pflanze nicht mag, sollte sich fragen, woran es liegt. Das kann ein Hinweis auf die Ursache der Blockade sein.

Er kommt sehr gut mit anderen Pflanzen aus.

Strahlenaralie
Schefflera arboricola

Zimmerpflanze
Höhe: 30–60 cm
Blütezeit: keine
Blatt: sattgrün, handförmig

Ideal für die Familien- und Reichtums-Zone, gut für alle anderen geeignet.

Die Strahlenaralie wirkt vor allem stärkend auf ihr Umfeld.

Die Pflanze steht im Sommer auch gerne im Freien an einem sonnen- und windgeschützten Platz.

Die Cymbidie 'Pink Surprise' *(Cymbidium Winter Beauty)* hat im Sommer ebenfalls gerne einen sonnengeschützten Platz im Freien. Sie ist auch ideal für die Familien- und Reichtums-Zone und entfaltet eine feine, feminine Heilwirkung auf Mensch und Pflanze.

Geigenfeige

Ficus lyrata

Zimmerpflanze

Höhe: 20–180 cm
Blütezeit: keine
Blatt: dunkelgrün, leierförmig

Ideal für die Familien- und Reichtums-Zone, für alle anderen gut geeignet.

Die Art wirkt auf Mensch und Umfeld stärkend, harmonisierend und inspirierend.

Die Blätter können Geigengröße erreichen, die Pflanze eignet sich deshalb nur für große, hohe Räume. Sie ist pflegeleicht, robust und widerstandsfähig. Wenn sie sich nicht gut entwickelt, könnte sie am falschen Platz stehen oder einen gleichartigen Partner wünschen.

Korallenstrauch

Erythrina crista-galli

Kübelpflanze

Höhe: 30–180 cm
Blütezeit: Juli–Oktober
Blatt: lindgrün, oval

Ideal für die Familien- und Reichtums-Zone, gut für alle anderen geeignet.

Die Pflanze stärkt die menschlichen Energiezentren, aber auch die des Raumes. Ihre Betrachtung löst geistig-seelische Tiefenwirkungen aus. Bisher nicht Gelebtes wird dadurch bewusst gemacht und aktiviert.

Die Feige *(Ficus carica)* ist eine Kübelpflanze, die essbare Früchte hervorbringt. Sie passt als Ausnahme unter den Holzpflanzen ideal in die Ruhm-Zone. Sie harmonisiert und verstärkt die feinen Gefühlsenergien. Die Pflanze wirkt hierbei mehr auf seelischer, die Frucht auf körperlicher Ebene.

Baumfreund

Philodendron bipinnatifidum

Zimmerpflanze

Höhe: 40–200 cm
Blütezeit: keine
Blatt: sattgrün, gefingert

Ideal für die Familien- und Reichtums-Zone, für alle anderen gut geeignet.

Der Baumfreund stärkt die Raumenergie und fügt den Schwingungen Inspiration hinzu.

Er ist sehr pflegeleicht, braucht aber Platz.

Der indische Gummibaum *(Ficus benghalensis)* eignet sich ebenfalls ideal für Familie und Reichtum. Er wirkt stärkend auf Mensch und Raum, harmonisiert ihre Energien und steht nicht gerne alleine.

Die Pflanzen des Elements Feuer

Einführung

Dem Feuerelement sind der Sommer, die Mittagszeit, die Himmelsrichtung Süden und alles, was mit Hitze zu tun hat, zugeordnet. Ihm entsprechen das Blühen, das grenzenlose Wachstum, das helle Sonnenlicht, das sich zur vollen Schönheit Entfalten, das Früchte Hervorbringen, das sich Öffnen, weiters alles Schnelle und Expandierende. Diese Qualitäten werden über das Element Feuer ausgedrückt und über Feuerpflanzen- und Accessoires in der Wohnung und auf dem Balkon manifestiert. Herz, Dünndarm, Blutgefäße und Blut, Meridiane, Zunge, Gesicht und Ohren entsprechen ebenso dem Feuer wie das Lachen, Sprechen oder der Gefühlsausdruck der Freude.

Stopp: Bitte zuerst intuitiv die Pflanzen auswählen und erst danach weiterlesen! Ihr Wissen würde nämlich die freie Wahl der für Sie richtigen Arten erschweren.

Feuerenergie und Mensch

Menschen mit ausgeglichener Feuerenergie gelten als humorvoll und offen und haben ein rasches Auffassungsvermögen. Sie sind gute Redner, fortschrittlich eingestellt, gute Arbeiter, Organisatoren und Leiter. Sie besitzen ein großes Maß an Selbstsicherheit, sind ideenreich, haben die Fähigkeit, Zusammenhänge gut zu erkennen, und können hervorragend kombinieren.

Bei unharmonischer Feuerenergie sind die Menschen oft überaktiv, hitzig, hektisch und rastlos. Sie regen sich leicht auf, tendieren möglicherweise zu Hassgefühlen, sind Draufgänger, die kein Risiko scheuen, neigen aber gleichzeitig zur Nervosität. Sie lassen sich oftmals leicht ausnutzen, sind arbeitswütig, können weiche und sanfte Gefühle aber nicht gut ertragen. Sie gelten als schlechte Zuhörer.

Was bedeutet Ihre Pflanzenwahl?

Wenn Sie intuitiv viele Feuerpflanzen gewählt haben, kann folgendes vorliegen:

- Entweder Sie entsprechen damit Ihrer persönlichen Anlage
- oder Sie haben das Bedürfnis, Heilimpulse zum Ausgleich Ihres unharmonischen Feuerelementes zu setzen.

»Feurige« Accessoires, also alles Feuerfarbene, Flammenförmige und auch Leuchten unterstützen zusätzlich die Feuerenergie.

Bei einem Zuviel an Feuerenergie werden Sie jedoch wahrscheinlich zu Pflanzen der Erde- oder Wasserkategorie tendieren. Beide können Ausgleich schaffen, denn Erde »erschöpft« das Feuer, das Asche (=Erde) erzeugt, und Wasser in passender Menge wird das Feuer ausreichend kontrollieren.

Hibiskus 'Vollmond'

Hibiscus rosa-sinensis

Zimmer-/Kübelpflanze

Höhe: 25–150 cm
Blütezeit: März–Oktober
Blatt: sattgrün, lanzettlich

Ideal für die Bagua-Zone Ruhm, für alle anderen gut geeignet.

Diese gelbe Spielart wirkt auf die Menschen und ihr Umfeld stärkend, harmonisierend und inspirierend.

Beim Hibiskus führen verschiedene Blütenfarben zu unterschiedlichen Wirkungen (→ Seite 108). Diese gelbe Sorte kann den Menschen bei Entscheidungen unterstützen. Sie will einen sonnigen Standort und sollte in Ruhe gelassen werden. Wenn sie hin und her geschoben wird, wirft sie gestresst ihre Blütenknospen ab.

Hornklee

Lotus berthelotii

Balkon-/Kübelpflanze

Höhe: 15–40 cm
Blütezeit: März–April
Blatt: silbrig grün, schmal

Ideal für die Bagua-Zone Ruhm, nicht gut in Wissen, gut für alle anderen.

Er wirkt vor allem stärkend auf das Umfeld, in dem er steht, und kann dessen Energien harmonisieren.

Die Pflanze braucht ausreichend Wasser, und ihr Wurzelballen sollte nie völlig austrocknen, da sie sonst ihre Blätter fallen lässt. Aber auch stauende Nässe im Topf verträgt sie nicht. Am liebsten hat sie einen Tontopf, der innen unglasiert und außen glasiert ist.

Kapkörbchen

Dimorphotheca sinuata

Balkonpflanze

Höhe: 25–30 cm
Blütezeit: Juli–September
Blatt: sattgrün, lanzettlich

Ideal für die Bagua-Zone Ruhm, gut für alle anderen geeignet.

Die Pflanze wirkt reinigend auf das Energiefeld des Menschen und kann die Selbstheilungskräfte anderer Pflanzen aktivieren.

Die Pflanze ist ein Sonnenkind, Regenwetter behagt ihr nicht.

Auch die Kentia-Palme *(Howeia forsteriana)* ist ideal für die Bagua-Zone Ruhm, entfaltet eine reinigende Wirkung auf das Energiefeld der Pflanzen und stärkt ihre Abwehrkräfte. Im Sommer kann sie auch im Freien an einen schattigen, windgeschützten Platz gestellt werden.

Agave
Agave americana

Kübelpflanze
Höhe: 20–80 cm
Blütezeit: blüht nur einmal
Blatt: graugrün, schmal

Ideal für Ruhm, nicht für Partnerschaft, Zentrum, Wissen, für alle anderen gut.

Die Art wirkt stärkend und aktivierend auf die Energie des Menschen, des Umfeldes und anderer Pflanzen.

Die Agave produziert negativ geladene Ionen, die Elektrosmog abbauen können. Dafür braucht sie aber ein großes Wirkungsareal mit viel Platz um sich herum und einen geräumigen Topf. Die Blätter der Pflanze haben nadelfeine Spitzen. Stellen Sie sie deshalb nicht direkt in den Laufbereich oder neben Sitzplätze.

Ruhmeskrone
Gloriosa rothschildiana

Zimmerpflanze
Höhe: 30–70 cm
Blütezeit: Juni–August
Blatt: sattgrün, lanzettlich

Ideal für die Zone Ruhm, nicht für Karriere, Zentrum, gut für alle anderen.

Die Ruhmeskrone wirkt stärkend und inspirierend auf den Menschen und harmonisiert Partnerschaftsbeziehungen.

Sie hat als Liebespflanze eine sehr starke Wirkung und kann das »innere Feuer« entfachen. Sie fördert Lebenswillen, Zuversicht, Hoffnung und Vertrauen. Sie will nicht im Schlafzimmer stehen, wirkt aber überall sonst gut. Suchen Sie den Standort intuitiv aus.

Helmkraut
Scutellaria costaricana

Zimmerpflanze
Höhe: 20–60 cm
Blütezeit: Mai–Juli
Blatt: sattgrün, lanzettlich

Ideal für die Zone Ruhm, nicht für Wissen, für alle anderen gut geeignet.

Das Helmkraut wirkt stärkend auf die Energie des Raumes.

Es mag keine »kalten Füße«, seine Standfläche sollte also nicht kühler als die Luft sein.

Die Zwergpalme *(Chamaerops humilis)* ist ebenfalls ideal für die Ruhm-Zone, gut für alle anderen. Sie stärkt und harmonisiert ihr Umfeld. Die frostempfindliche, bis zu 3 m hoch werdende Kübelpflanze braucht viel Sonne und einen großen Topf für einen guten Erdkontakt.

Hornveilchen
Viola-Cornuta-Hybriden

Balkonpflanze
Höhe: 10–20 cm
Blütezeit: Mai–September
Blatt: sattgrün, herzförmig

Ideal für die Zonen Ruhm, Partnerschaft und Kinder, gut für alle anderen.

Das Hornveilchen wirkt stärkend und inspirierend auf den Menschen. Besonders wenn Sie sich Zeit nehmen und die Pflanze in Ruhe betrachten, werden Sie von ihrer Inspiration profitieren.

Die Stiefmütterchen (*Viola-Wittrockiana*-Hybriden) sind ebenfalls ideal für die Ruhm-Zone, nicht aber fürs Zentrum. Sie wirken als Vermittler und können auch Heilimpulse aussenden, die beim Menschen die Gefühle harmonisieren und seine Ausstrahlung stärken.

Fuchsie
Fuchsia-Hybriden

Balkonpflanze
Höhe: 20–50 cm
Blütezeit: Juni–Oktober
Blatt: hellgrün, lanzettlich

Ideal für Ruhm, nicht für Wissen und Zentrum, gut für alle anderen Zonen.

Die Pflanze wirkt stärkend und bringt den Menschen viel Energie, wenn sie so aufgestellt wird, dass sie einen häufig gesehenen Blickpunkt darstellt. Darüber hinaus kann die Fuchsie emotionale Spannungen sehr gut ausgleichen, und sie hat dazu noch eine stark harmonisierende Wirkung auf Stimmungen.

Es gibt zahlreiche Sorten mit hängendem Wuchs, die herrliche Ampelpflanzen abgeben. Die meisten Sorten mögen keine pralle Sonne und keinen Wind.

Kissenprimel
Primula-Vulgaris-Hybriden

Balkonpflanze
Höhe: 10–15 cm
Blütezeit: März–Mai
Blatt: hellgrün, lanzettlich

Ideal für die Bagua-Zone Ruhm, nicht für Zentrum, gut für alle anderen.

Die Kissenprimeln zählen zu den Vermittler-Pflanzen. Je nach Blütenfarbe setzen sie beim Menschen mit unterschiedlicher Intensität heilende Impulse in Gang. Diese regen wiederum eine Harmonisierung der Gefühle an. Dadurch wird auch oft die Ausstrahlung des Menschen positiv verändert. Die für Sie idealen Farben können Sie intuitiv auswählen.

Die Pflanzen vertragen es schlecht, wenn ihr Wurzelballen völlig austrocknet.

Oleander 'Prof. Grandel'
Nerium oleander

Balkon-/Kübelpflanze
Höhe: 60–180 cm
Blütezeit: Juni–Oktober
Blatt: sattgrün, länglich

Ideal für die Bagua-Zone Ruhm, für alle anderen Bereiche gut geeignet.

Er zählt zu den Vermittlern und wirkt harmonisierend auf Mensch, Pflanze und Umfeld. Wenn er sich geliebt fühlt, kann sich eine starke intuitive Kommunikation mit seiner Pflegeperson entwickeln. Der Oleander blüht dann besonders stark. Er hat auch eine heilende Funktion, kann düstere Gedanken vertreiben und Hoffnung und Zuversicht stärken.

Die Pflanze will einen sonnigen Platz und einen großen Topf. Für benachbarte Gewächse kann sie einen angenehmen Schatten spenden.

Tulpe 'Couleur Cardinal'
Tulipa

Balkonpflanze
Höhe: 25–40 cm
Blütezeit: April
Blatt: lindgrün, lanzettlich

Ideal für Ruhm, nicht für Zentrum und Karriere, gut für alle anderen Zonen.

Die Tulpe gehört zu den Vermittlern und hat auch eine spirituelle Funktion. Sie wirkt aktivierend auf Menschen und Pflanzen, kann Spannungen bei anderen Gewächsen und negative Energien des Menschen absorbieren. Wenn ihre Kraft erschöpft ist, beugt sie das Haupt, als wolle sie ihren übervollen Blütenkelch ausgießen. Bei manchen Menschen reagiert sie bereits nach wenigen Stunden so! Übrigens haben Pflanzen, die in geräumigen Gefäßen stehen, mehr Kraft und lassen auch den Kopf nicht so schnell hängen.

Amaryllis 'Telstar'
Hippeastrum-Hybride

Zimmerpflanze
Höhe: 25–45 cm
Blütezeit: Januar–April
Blatt: sattgrün, riemenförmig

Ideal für Ruhm, nicht für Zentrum, Karriere, für alle anderen gut geeignet.

Die Amaryllis wirkt stark inspirierend, vor allem, wenn man sie in Ruhe betrachtet.

Die Amaryllis will für sich alleine im Topf stehen.

Der weiße Oleander (*Nerium oleander* 'Mont Blanc') eignet sich ebenfalls ideal für Ruhm. Er wirkt harmonisierend auf Mensch, Pflanze und Raum.

Flamingoblume

Anthurium scherzerianum

Zimmerpflanze

Höhe: 25–40 cm
Blütezeit: ganzjährig
Blatt: hellgrün, lanzettlich

Ideal für die Zone Ruhm, nicht für Wissen, gut für alle anderen Bereiche.

Die Flamingoblume wirkt stärkend auf die Menschen und ihr Umfeld. Die Sorten mit roten Blüten können die Energien des Menschen noch zusätzlich harmonisieren.

Die Flamingoblume mag es nicht, wenn sie in der prallen Sonne steht, dann rollt sie die Blätter ein. Ebenso ist kalkhaltiges, kaltes Gießwasser ihr ein Greuel – oder auch jeder Wassertropfen, der beim Gießen auf die Blüte fällt. An diesen Stellen bildet sie meist hässliche braune Flecken aus.

Dattelpalme

Phoenix roebelenii

Kübelpflanze

Höhe: 60–150 cm
Blütezeit: keine
Blatt: sattgrün, gefiedert

Ideal für die Bagua-Zone Ruhm, gut für alle anderen Bereiche geeignet.

Die Pflanze wirkt reinigend auf das Energiefeld des Menschen und stärkt seine Selbstheilungskräfte.

Die Palme zählt zu den Liebespflanzen. Sie ist besonders für junge Pärchen geeignet, erhält den »süßen Geschmack« in der Liebe und aphrodisiert über die Augen. Deshalb passt sie auch gut in große Schlafzimmer. Auch taoistische Liebesübungen kann sie unterstützen. Sie braucht einen großen Tontopf. Es sollte auf keinen Fall ein Plastiktopf sein. Jedoch auch glasierte Keramiktöpfe mag sie nicht besonders gut leiden.

Schamblume

Aeschynanthus radicans

Zimmerpflanze

Höhe: 30–60 cm
Blütezeit: Mai–September
Blatt: sattgrün, lanzettlich

Ideal für die Bagua-Zone Ruhm, gut für alle anderen Bereiche geeignet.

Die Schamblume wirkt vermittelnd auf Mensch und Umfeld.

Während der Blütezeit verbreitet sie auch heilende Schwingungen für den Menschen und die Umgebung. Sie ist eine wunderschöne Ampelpflanze und hängt im Sommer gerne im Halbschatten auf dem Balkon.

Feuerrote Rochee
Crassula coccinea

Zimmerpflanze
Höhe: 30–60 cm
Blütezeit: Mai–Juni
Blatt: hellgrün, lanzettlich

Ideal in Ruhm, nicht Kinder, Hilfr. Freunde, Reichtum, Familie, Rest gut.

Die Art wirkt vor allem auf menschliche Stimmungen, kann aber auch ihr Umfeld harmonisieren.

Sie will allein stehen oder zumindest einen größeren Abstand zu anderen Pflanzen haben.

Die Strauchveronika (*Hebe-Andersonii-*Hybriden) ist ebenfalls ideal für Ruhm. Sie ist eine Vermittler-Pflanze, wirkt heilend und reinigend auf den Menschen. Sie regt auch an, auf geistiger Ebene zu kommunizieren.

Zierananas
Ananas comosus

Zimmerpflanze
Höhe: 30–80 cm
Blütezeit: blüht nur einmal
Blatt: dreifarbig, linealisch

Ideal für die Bagua-Zone Ruhm, gut für alle anderen Bereiche geeignet.

Die Pflanze wirkt auf Mensch und Umfeld harmonisierend und inspirierend. Sie kann den Raum auch von störenden energetischen Einflüssen befreien.

Die Ananas gehört zu den Liebespflanzen. Sie lässt nach einem Streit oder einer Krise wieder Geschmack an der Beziehung finden und wirkt auf diese heilend. Sie reagiert selbst stark auf die zwischenmenschliche Liebe, sollte aber nicht im Schlafzimmer stehen. Gut einsehbare Standorte sind ideal, auch eine paarweise torartige Aufstellung.

Flammendes Schwert
Vriesea splendens

Zimmerpflanze
Höhe: 20–50 cm
Blütezeit: blüht nur einmal
Blatt: gemustert, riemenförmig

Ideal für die Zone Ruhm, nicht für Reichtum und Wissen, alle anderen gut.

Die Vriesee wirkt vor allem auf Personen stärkend, harmonisierend und inspirierend und kann negative Stimmungen umwandeln. Ein Zuviel würde die Pflanze allerdings blockieren.

Sie gehört zu den Liebespflanzen, stärkt das Vertrauen in die Beziehung und passt gut ins Schlafzimmer. Sie reagiert selbst auf Liebe, je mehr sie empfängt, desto stärker kann sie harmonisieren.

Die Pflanzen des Elements Erde

Einführung

Dem Element Erde werden der Spätsommer, der Nachmittag, die Himmelsrichtungen Südwesten und Nordosten und alles, was mit Feuchtigkeit und feuchter Hitze zu tun hat, zugerechnet. Wolken, Regen, wohlriechende Düfte, Völle und das Verwandelnde sind ebenfalls Erdqualitäten. Milz, Lippen, Mund, Gedächtnis, Magen, Rückgrat und Knochenmark sowie Ausgeglichenheit, stoische Ruhe, Meditation, Singen und Beständigkeit werden ihr ebenso zugeordnet. Erdpflanzen und -Accessoires regen diese Qualitäten an und unterstützen sie.

Stopp: Bitte zuerst die Pflanzen rein intuitiv auswählen und erst danach weiterlesen! Ihr Wissen würde nämlich die freie Wahl der für Sie richtigen Arten erschweren!

Erdenergie und Mensch

Menschen mit ausgeglichener Erdenergie wirken seriös, gereift und ausgeglichen. Sie sind von Natur aus friedliebend, können logisch denken, bleiben stets ruhig, meditieren möglicherweise gerne und sind beständig, stetig und ausdauernd. Sie können mit Geld gut umgehen, sind loyal, treu und vielleicht auch konservativ. Sie gelten als verlässlich und sind sehr anpassungsfähig.
Bei unharmonischer Erdenergie werden die Menschen schwer beeinflussbar, engstirnig, stur oder umgekehrt butterweich, nachgiebig und opportunistisch. Auch Schwerfälligkeit, der Hang zum sorgenvollen Grübeln, Denken im Kreise oder Konzentrationsprobleme sind möglich. Starke Schuldgefühle, Geiz oder Verschwendungssucht, Egoismus und nachtragendes Verhalten deuten ebenfalls auf ein Ungleichgewicht im Erdelement hin.

Was bedeutet Ihre Pflanzenwahl?

Sollten Sie bei der intuitiven Auswahl Ihrer Pflanzen viele Erdpflanzen gewählt haben, so gibt es folgende Möglichkeiten:

- Entweder verlangt Ihre persönliche Konstitution nach viel Erdenergie,
- oder bei Ihnen führte unharmonische Erdenergie zu einer oder mehreren der oben genannten Eigenschaften, die Sie unbewusst ausgleichen und harmonisieren wollen.

Neben den Erdpflanzen steigern auch alle Erd-Accessoires diesen Prozess. Zu ihnen gehören Gefäße, Bodenbeläge, Figuren und Objekte aus Ton, Terrakotta oder Stein, auch alle Gegenstände in den Erdfarben Gelb, Orange und Braun.
Sollten Sie allerdings ein Zuviel an Erdenergie in Ihrem Leben haben, werden Sie sich wahrscheinlich instinktiv zu den »erdableitenden« Metallpflanzen oder zu den »Erde kontrollierenden« Holzpflanzen hingezogen fühlen.
Sie sehen, die unbewusst vorgenommene Auswahl der Pflanzen gibt Ihnen eine Vielzahl von Hinweisen über Sie selbst!

Schneeglöckchen
Galanthus nivalis

Balkonpflanze
Höhe: 10–15 cm
Blütezeit: Februar–März
Blatt: sattgrün, linealisch

Ideal für Partnerschaft und Wissen, nicht Zentrum, für alle anderen gut.

Das Schneeglöcken wirkt stärkend auf den Menschen und kann seine Stimmungen harmonisieren. Es hilft, seine Gedanken zu klären, und inspiriert ihn auch.

Das Schneeglöckchen sollte möglichst einen Platz für sich alleine haben. Seine volle Wirkung entfaltet es bei einer leichten Luftbewegung. Die Pflanze mag es nicht, wenn die Erde austrocknet. Deshalb das bepflanzte Gefäß regelmäßig gießen und im Winter auch frostfrei aufbewahren.

Husarenknöpfchen
Sanvitalia procumbens

Balkonpflanze
Höhe: 10–25 cm
Blütezeit: Juni–Oktober
Blatt: hellgrün, lanzettlich

Ideal Zentrum, Partnerschaft, nicht Kinder, Hilfreiche Freunde, andere gut.

Das Husarenknöpfchen kann das Umfeld um sich herum reinigen und die Stimmung auf dem Balkon oder an seinem Platz im Blumenfenster harmonisieren.

Die reinigende Wirkung kann bei genügend Platz gesteigert werden, wenn Sie mehrere Exemplare in eine entsprechend geräumige Ampel pflanzen. Das Husarenknöpfchen wird aber auch noch im Balkonkasten seine guten Eigenschaften ausbilden und sogar auch, wenn es als Unterpflanzung zu einer Kübelpflanze gesetzt wird.

Bougainvillee
Bougainvillea-Hybriden

Kübelpflanze
Höhe: 30–250 cm
Blütezeit: Mai–Juli
Blatt: sattgrün, lanzettlich

Ideal für die Zonen Partnerschaft, Zentrum, Wissen, gut für alle anderen.

Die Bougainvillee zählt zu den vermittelnden Pflanzen. Sie entfaltet auf seelischer und geistiger Ebene heilende Wirkungen, von denen Mensch, andere Pflanzen und das Umfeld profitieren können.

Sie liebt einen sonnigen Platz, möchte dort gerne alleine stehen und auch ihren Terrakottatopf mit keiner anderen Pflanze teilen. Sie braucht ein stabiles Klettergerüst.

Strauchmargerite

Argyranthemum frutescens

Kübelpflanze

Höhe: 30–70 cm
Blütezeit: ganzjährig
Blatt: sattgrün, gefiedert

Ideal für Partnerschaft und Wissen, nicht Zentrum und Ruhm, Rest gut.

Die Strauchmargerite entwickelt spirituell heilende Energien für Mensch, andere Pflanzen und Umfeld. Sie kann diese auch reinigen und harmonisieren.

Sie ist gerne mit anderen Pflanzen zusammen, will aber um sich herum ausreichend Raum für sich selbst und einen großen Topf haben. Sie liebt den Kontakt zum Menschen und möchte gerne berührt und gestreichelt werden. Wenn sie sehr geliebt wird, lässt sie auch bereitwillig einige Blüten pflücken, die lange frisch halten.

Topfheide

Erica gracilis

Balkonpflanze

Höhe: 15–30 cm
Blütezeit: September–November
Blatt: graugrün, nadelförmig

Ideal für Partnerschaft und Wissen, nicht Karriere und Zentrum, Rest gut.

Die Topfheide wirkt auf Mensch und andere Pflanzen stark harmonisierend und entfaltet eine auf geistiger Ebene heilende Wirkung, sie unterstützt auch die »Trauerarbeit« nach Todesfällen.

Sie wird auch »Allerheiligen-Erika« genannt, weil sie wegen ihrer Wirkungen ein sehr beliebter Grabschmuck ist. Sie sollte am besten mit Regenwasser, zumindest aber mit kalkfreiem, weichem Wasser gegossen werden.

Mutterkraut

Tanacetum parthenium

Balkon-/Kübelpflanze

Höhe: 20–50 cm
Blütezeit: Juni–September
Blatt: hellgrün, gelappt

Ideal für die Zonen Partnerschaft, Zentrum und Wissen, alle anderen gut.

Das Mutterkraut wirkt reinigend auf Menschen und andere Pflanzen und aktiviert das Immunsystem.

Die Kräfte des Mutterkrauts sind bereits in alten Kräuterbüchern aufgeführt. Wegen der Heilwirkung bei Frauenkrankheiten erhielt es seinen deutschen Namen. Es wirkt antiseptisch, wundheilend und kann Fieber senken. Mit Wein und Honig gemischt wurde es schon vor Jahrhunderten gegen melancholische Stimmungen eingesetzt.

Schmucklilie
Agapanthus praecox

Kübelpflanze
Höhe: 30–60 cm
Blütezeit: Juli–September
Blatt: sattgrün, riemenförmig

Ideal für Partnerschaft, Zentrum, Wissen, gut für alle anderen Bereiche.

Die Schmucklilie kann auf Menschen, Pflanzen und Umfeld stärkend, harmonisierend und inspirierend wirken.

Sie will einen großen Topf mit einem guten Wasserabzug.

Der Pfeilbambus *(Pseudosasa japonica)* ist ebenfalls ideal für die oben genannten Zonen. Er wirkt reinigend auf die Gefühle von Menschen und Pflanzen. Die Kübelpflanze mag keine pralle Sonne und kann mit Winterschutz ganzjährig im Freien bleiben.

Neuseeländer Flachs
Phormium tenax 'Variegatum'

Kübelpflanze
Höhe: 60–150 cm
Blütezeit: Spätsommer
Blatt: zweifarbig, schwertförmig

Ideal für die Zonen Partnerschaft, Zentrum und Wissen, alle anderen gut.

Der Neuseeländer Flachs wirkt auf den Menschen stärkend und inspirierend, auf die Energie seines Umfeldes stärkend und harmonisierend.

Die Blätter dieser immergrünen Gewächse besitzen die dehnbarsten Fasern im Pflanzenreich, die sie fast unzerreißbar machen. Erst in reifen Jahren bildet der Neuseeländer Flachs seine mattroten Blütenrispen aus.

Madagaskar-Immergrün
Catharanthus roseus

Zimmerpflanze
Höhe: 15–30 cm
Blütezeit: Mai–Oktober
Blatt: dunkelgrün, lanzettlich

Ideal für Partnerschaft, Zentrum, Wissen, nicht für Reichtum, Rest gut.

Das Madagaskar-Immergrün zählt zu den vermittelnden Pflanzen. Es entfaltet auch eine reinigende Wirkung auf das Energiefeld des Menschen.

Diese Zimmerpflanze mit den an Phlox erinnernden Blüten ist bei uns schon seit dem letzten Jahrhundert in Kultur, geriet aber in Vergessenheit, weil sie immer nur einjährig gezogen wurde. Sie entfaltet ihre Blütenschönheit und Wirkungen erst richtig, wenn sie mehrere Jahre alt ist. Bei der Überwinterung darauf achten, dass sie keine »kalten Füße« bekommt.

Drachenbaum
Dracaena fragrans

Zimmerpflanze
Höhe: 30–60 cm
Blütezeit: keine
Blatt: zweifarbig, schmal

Ideal für Partnerschaft, Zentrum, Wissen, nicht für Karriere, Rest gut.

Der Drachenbaum schafft ein harmonisches Energieklima im Raum.

Die an eine Palme erinnernde Pflanze will nicht zusammen mit anderen eng in ein Gefäß gepflanzt werden. Sie braucht einen Kübel für sich und viel Raum, um ihre Wirkungen entfalten zu können. Ihre breiten, gestreiften Blätter duften ganz zart.

Prärieenzian
Eustoma grandiflorum

Zimmerpflanze
Höhe: 20–80 cm
Blütezeit: Juli–August
Blatt: sattgrün, eiförmig

Ideal für Partnerschaft, Zentrum, Wissen, nicht für Karriere, Rest gut.

Der Prärieenzian wirkt harmonisierend auf Mensch und Umfeld, stark inspirierend auf den Menschen und schwach inspirierend auf den Raum.

Die Pflanze mit den schönen Glockenblüten ist etwas sensibel in Hinblick auf Helligkeit und Wasserversorgung. An zu dunklen Standorten blühen ihre Knospen nicht auf. Sie will immer sehr sorgfältig gegossen werden und ist sehr empfindlich, wenn sie zu nass steht oder der Wurzelballen austrocknet.

Errötender Baumfreund
Philodendron erubescens

Zimmerpflanze
Höhe: 30–80 cm
Blütezeit: keine
Blatt: sattgrün, pfeilförmig

Ideal für Partnerschaft, nicht für Zentrum und Wissen, alle anderen gut.

Der Errötende Baumfreund wirkt sanft-feminin stärkend und harmonisierend auf Mensch und Raum.

Die Pflanze zählt zu den Liebespflanzen und wächst besonders stark, wenn mehr feminine Energie gefordert wird. Im Schlafzimmer ist seine Wirkung zu stark, beide Partner sollten nach Gefühl die Platzwahl gemeinsam vornehmen. Er steht gerne neben einem Artgenossen oder dem Kletterphilodendron (→ Seite 116).

Hibiskus
Hibiscus rosa-sinensis

Zimmer-/Kübelpflanze
Höhe: 25–150 cm
Blütezeit: März–Oktober
Blatt: sattgrün, lanzettlich

Ideal für Partnerschaft, Zentrum, Wissen, für alle anderen gut geeignet.

Diese lachsrosa Spielart wirkt auf den Menschen und ihr Umfeld gleichermaßen reinigend.

Beim Hibiskus führen verschiedene Blütenfarben zu unterschiedlichen Wirkungen (→ Seite 96). Alle Spielarten haben jedoch die gleichen Pflegeansprüche. Sie wollen einen sonnigen Standort und in Ruhe gelassen werden. Wenn sie hin und her geschoben werden, werfen sie gestresst die Blütenknospen ab. Sie reagieren auch empfindlich auf Ballentrockenheit und nasskalte Füße.

Fensterblatt
Monstera deliciosa

Zimmerpflanze
Höhe: 60–350 cm
Blütezeit: keine
Blatt: sattgrün, herzförmig

Ideal für Partnerschaft, Zentrum, Wissen, nicht Karriere, alle anderen gut.

Das Fensterblatt wirkt stärkend auf die Stimmung des Menschen und harmonisiert das zwischenmenschliche Klima.

Die Pflanze zählt zu den Liebespflanzen. Sie hilft, Ängste zu überwinden und »neues Licht« zu sehen, braucht aber einen ruhigen Ort, um voll wirken zu können. Für ihre langen, schlingenden Triebe braucht sie ein stabiles Klettergerüst.

Lederfarn
Arachniodes aristata

Zimmerpflanze
Höhe: 30–70 cm
Blütezeit: keine
Blatt: sattgrün, gefiedert

Ideal für Partnerschaft, Wissen, nicht für Ruhm, Zentrum, Rest gut.

Der Lederfarn wirkt inspirierend auf den Menschen.

Der Farn liebt eine hohe Luftfeuchte und mag keine pralle Sonne. Durch seine ledrigen Blätter kommt er aber auch mit Heizungsluft gut zurecht. Wenn er jedoch zu dunkel steht, werden die Stiele weich, und die Wedel biegen sich nach unten. Am liebsten möchte er mit zimmerwarmem, weichem, also kalkfreiem Wasser gegossen werden.

Haworthie
Haworthia-Hybriden

Zimmerpflanze
Höhe: 10–20 cm
Blütezeit: Juli–September
Blatt: weißgrün, länglich

Ideal für Partnerschaft, Zentrum, Wissen, für alle anderen Bereiche gut.

Die Haworthie kann andere Pflanzen in ihrem Umfeld stärken und zum Beispiel auch bei Krankheitsbefall deren Genesung unterstützen.

Viele ziehen diese zähe, anspruchslose Rosettenpflanze schon seit Jahren auf dem Fensterbrett, ohne zu wissen, wen sie da beherbergen. Die spitzen, fleischigen Blätter sind übersät mit weißlichen Wärzchen, die hübsche, meist gebänderte Muster ergeben. Die Pflanzen sind nur empfindlich gegen zu viel Wasser.

Kreuzkraut
Senecio-Cruentus-Hybriden

Zimmerpflanze
Höhe: 20–35 cm
Blütezeit: März–April
Blatt: sattgrün, herzförmig

Ideal für Partnerschaft, Zentrum, Wissen, gut für alle anderen Bereiche.

Die Pflanze wirkt als Vermittler, vor allem auf den Menschen. Sie kann schlechte oder gespannte Stimmungen neutralisieren. Sie hat auch eine spirituelle Funktion und unterstützt die Fassung von klaren Gedanken.

Das Kreuzkraut will reichlich gegossen werden und eine möglichst hohe Luftfeuchte, sonst halten die Blüten nicht lange, und die Pflanze wird anfällig für Blattläuse, die dann in großen Massen auftreten können.

Alokasie
Alocasia lowii

Zimmerpflanze
Höhe: 20–40 cm
Blütezeit: keine
Blatt: weißgrün, herzförmig

Ideal für die Zonen Partnerschaft, Zentrum und Wissen, alle anderen gut.

Die Alokasie wirkt vor allem auf die Raumenergie stärkend. Sie fungiert gewissermaßen als »Tröster« von anderen Pflanzen und wirkt harmonisierend, wenn sie durch Licht- oder Wassermangel gestresst sind.

Sie ist wohl eine der schönsten Blattpflanzen überhaupt. Sie braucht ausreichend Platz um sich herum und mag keine Staunässe.

Die Pflanzen des Elements Metall

Einführung

Dem Metallelement sind der Herbst, der Sonnenuntergang, die Himmelsrichtungen Westen und Nordwesten sowie Kälte und Trockenheit zugeordnet. Alles Dichte und Harte, die Kraft, Stärke und auch der Tod – wie das Absterben vieler Pflanzen im Herbst – gelten als metallisch. Die Formbildungskräfte, Konzentriertes und Verdichtetes, Zusammenziehendes, Zerstörendes, Dunstiges und Nebliges – das alles sind typische Herbst- und Metallkräfte. Dem Metall zugeordnet sind auch Lunge, Dickdarm, Haut, Nase und Rücken, sowie die Emotionen Weinen und Traurigkeit.

Stopp: Bitte zuerst intuitiv die Pflanzen auswählen und erst danach weiterlesen! Ihr Wissen würde nämlich die freie Wahl der für Sie richtigen Arten erschweren.

Metallenergie und Mensch

Ausgeglichene Metallenergie im Menschen zeigt sich beispielsweise als starke und gute Intuition (der »6. Sinn«), Gerechtigkeitssinn, messerscharfe analytische Fähigkeiten, große Ehrlichkeit, Zielstrebigkeit oder Ordnungsliebe. Diese Menschen zerstören gerne, um zu erneuern, sind gute Schiedsrichter, haben eine ausgeprägte Vorstellungskraft und planen gerne bis ins Detail. Sie lieben die Einsamkeit, haben auf andere Menschen aber eine »elektrische« Ausstrahlung.

Menschen mit unharmonischer Metallenergie gelten als gefühlskalte, triebhafte und trockene Typen. Sie sind streng und autoritär, neigen unter Umständen zu übertriebener Sauberkeit, leben in lebensfeindlichen Umständen, lieben Technik über alles sowie die Farben Grau und Weiß, halten nichts von Pflanzen, und es ist nur schwer an sie heranzukommen. Sie lösen ihre Probleme allein, planen und verplanen alles, neigen zu Dogmatismus und Kompromisslosigkeit.

Was bedeutet Ihre Pflanzenwahl?

Je mehr Pflanzen der Metallkategorie Sie intuitiv gewählt haben, um so intensiver scheint:

- entweder ein konstitutioneller Bedarf nach Metallenergie vorzuliegen
- oder eine Harmonisierung Ihres Metallelementes zum Ausgleich eines oder mehrerer der oben angeführten Defizite notwendig zu sein.

Metall-Accessoires wie Kugeln oder andere runde Gegenstände, auch Möbel oder Klettergerüste aus Metall, unterstützen die Metallenergie in der Wohnung und auf dem Balkon.

Sollte jedoch ein Übermaß an Metallenergie in Ihnen vorhanden sein, so haben Sie bei der intuitiven Auswahl wahrscheinlich hauptsächlich die »Metall ableitenden« Pflanzen der Wasserkategorie oder die »Metall kontrollierenden« Feuerpflanzen gewählt.

Clematis 'Rubens'

Clematis montana

Balkon-/Kübelpflanze

Höhe: 80–400 cm
Blütezeit: Mai–Juni
Blatt: sattgrün, gelappt

Ideal für Kinder, Hilfreiche Freunde, nicht Reichtum, Familie, Rest gut.

Diese rosa Spielart wirkt auf den Menschen stärkend, harmonisierend und inspirierend. Die Betrachtung der Pflanze hilft dem Menschen, sein »inneres Wissen« zu erfahren und mehr Bezug zur Realität zu bekommen.

Diese Clematis ist ein sehr starkwüchsiger Kletterer. Sie braucht ausreichend Platz und ein stabiles Gerüst. Erwachsene Pflanzen sind auch auf dem Balkon frostfest, Jungpflanzen aber können durch Spätfröste geschädigt werden.

Federborstengras

Pennisetum alopecuroides

Balkon-/Kübelpflanze

Höhe: 25–60 cm
Blütezeit: August–Oktober
Blatt: hellgrün, Grashalme

Ideal für Kinder, Hilfr. Freunde, nicht Ruhm, Familie, Zentrum, Rest gut.

Es fungiert als Energiewandler und -veredler und gibt diese Energie auch in die Pflanzenerde ab.

Das Federborstengras erzeugt negativ geladene Ionen und kann mit ihnen Elektrosmog umwandeln, den es aus dem ganzen Raum anzieht. Es hat ein großes Abstrahlungsfeld und braucht viel Platz um sich herum.

Orangenblume

Choisya ternata

Kübelpflanze

Höhe: 30–100 cm
Blütezeit: Mai–Juni
Blatt: sattgrün, gefiedert

Ideal für die Bagua-Zonen Kinder und Hilfreiche Freunde, Rest gut.

Die Orangenblume wirkt als Vermittler und unterstützt gestresste Pflanzen bei der Reaktivierung ihrer Widerstandskräfte.

Die Orangenblume ist viel robuster und pflegeleichter als die Zitronen- und Orangenbäumchen. Sie duftet sehr intensiv und eignet sich deswegen nicht fürs Schlafzimmer, da empfindliche Menschen auf Dauer Kopfweh von diesem Geruch bekommen. Die Pflanze mag kein kalkhaltiges Gießwasser und keine Staunässe.

Prunkwinde

Ipomoea purpurea

Balkon-/Kübelpflanze

Höhe: 100–300 cm
Blütezeit: Juli–September
Blatt: sattgrün, lanzettlich

Ideal für die Zonen Kinder und Hilfreiche Freunde, für alle anderen gut.

Die Prunkwinde entfaltet eine spirituell heilende Wirkung auf den Menschen. Sie ist auch stark inspirierend und lässt erkennen, was man an sich noch verbessern könnte und sollte.

Die Betrachtung der großen Trichterblüten kann euphorisierend wirken.

Der Winterjasmin *(Jasminum nudiflorum)* ist für die gleichen Zonen ideal, nicht aber für Ruhm und Zentrum. Er wirkt stärkend und harmonisierend auf die Raumenergie.

Kapernstrauch

Capparis spinosa

Kübelpflanze

Höhe: 60–150 cm
Blütezeit: Sommer
Blatt: blaugrün, eiförmig

Ideal Kinder und Hilfr. Freunde, nicht Ruhm, Wissen und Zentrum, Rest gut.

Der Kapernstrauch wirkt stärkend, harmonisierend und inspirierend auf den Menschen.

Die Knospen sind essbar und wirken nervenstärkend sowie blutverdünnend. Wenn Sie selbst Kapern einlegen wollen, ernten Sie die ungeöffneten Blütenknospen, lassen Sie sie etwas welken und legen sie roh in Olivenöl ein. So halten sie etwa ein Jahr. Die Pflanze sollte nicht zu viel gegossen werden, verträgt aber auch kalkhaltiges Wasser.

Ginster

Cytisus x kewensis

Kübelpflanze

Höhe: 30–50 cm
Blütezeit: Mai–Juni
Blatt: sattgrün, gefiedert

Ideal für die Zonen Kinder und Hilfreiche Freunde, für alle anderen gut.

Der Ginster zählt zu den Vermittlern und wirkt heilend auf Mensch und Pflanzen. Er lindert Gefühle der Verzweiflung und Ausweglosigkeit. Er kann auch noch das Energiefeld der Menschen aktivieren und auf die Pflanzen reinigend wirken.

Er möchte einen großen Tontopf und viel Licht und Sonne. Gegen Staunässe ist er sehr empfindlich.

Maßliebchen
Bellis perennis

Balkonpflanze
Höhe: 10–20 cm
Blütezeit: März–Juni
Blatt: hellgrün, spatelförmig

Ideal für die Zonen Kinder, Hilfreiche Freunde, für alle anderen gut.

Die Maßliebchen oder Gänseblümchen wirken stärkend, harmonisierend und inspirierend auf Mensch und Umfeld.

Die Tibouchina *(Tibouchina urvilleana)*, eine Balkon- und Kübelpflanze, eignet sich für die gleichen Zonen. Sie ist feingeistig und wirkt stark anregend auf den Menschen, kann geistige Verkrampfungen wie festgefahrene Vorstellungen lösen und hilft, hinter die Kulissen zu blicken. Sie will einen Tontopf und einen sonnigen Platz. Die Sonne verstärkt ihre Wirkung.

Bleiwurz
Plumbago auriculata

Kübelpflanze
Höhe: 60–250 cm
Blütezeit: Juni–Oktober
Blatt: hellgrün, lanzettlich

Ideal für Kinder, Hilfreiche Freunde, nicht für Zentrum, Karriere, Rest gut.

Die Bleiwurz zählt zu den Vermittlern und wirkt aktivierend auf Pflanzen. Die Energien in ihrem Umfeld kann sie transformieren. Während der Blüte wirkt sie besonders stark.

Die Pflanze mag viel Sonne und spendet gerne Schatten für andere Gewächse. Ihre langen, leicht überhängenden Triebe lassen sich gut am Spalier oder einem anderen Klettergerüst ziehen. Selbst einen Formschnitt verträgt die Bleiwurz gut. Sie ist aber auch eine attraktive Ampelpflanze.

Blattschmuck-Pelargonie
Pelargonium 'Chelsea Gem'

Kübelpflanze
Höhe: 30–60 cm
Blütezeit: keine
Blatt: weißgrün, gebuchtet

Ideal für Kinder, Hilfr. Freunde, nicht Wissen, Ruhm, Zentrum, Rest gut.

Die Blattschmuck-Pelargonie zählt zu den Vermittlern und wirkt harmonisierend auf den Menschen und andere Pflanzen.

Die Pflanze kann negative Störenergien sammeln. Wenn es ihr zu viel wird, wirft sie jedoch die Blätter ab. Sie braucht einen großen, unglasierten Tontopf.

Zimmer-Azalee
Rhododendron-Hybriden

Zimmerpflanze
Höhe: 15–35 cm
Blütezeit: Dezember–April
Blatt: dunkelgrün, oval

Ideal für Kinder, Hilfreiche Freunde, nicht für Zentrum, für alle anderen gut.

Die Zimmer-Azalee zählt zu den Vermittlern und harmonisiert andere Pflanzen, wirkt auch auf den Menschen, aber etwas schwächer.

Die Zimmer-Azalee schätzt den intensiven »Dialog« mit anderen Pflanzen und will deshalb nicht alleine stehen. Sie braucht viel Zuwendung vom Menschen und kann manchmal auch etwas »launisch« sein. Wenn sie zum Beispiel wegen schlechter Pflege verstimmt ist, lässt sie die Blütenknospen und Blätter abfallen.

Gardenie
Gardenia jasminoides

Zimmerpflanze
Höhe: 15–90 cm
Blütezeit: Juli–Oktober
Blatt: sattgrün, lanzettlich

Ideal für Kinder, Hilfr. Freunde, nicht Wissen, Zentrum, gut für alle anderen.

Die Pflanze wirkt stärkend auf den Menschen. Mit ihren intensiv duftenden Blüten spricht sie vor allem die Gefühlsebene an.

Die Gardenie will einen Topf für sich, möglichst alleine stehen und nicht mit hartem, kaltem Wasser gegossen werden. Wegen ihres starken Duftes ist sie für das Schlafzimmer nicht geeignet.

Becherprimel
Primula obconica

Zimmerpflanze
Höhe: 20–30 cm
Blütezeit: ganzjährig
Blatt: sattgrün, löffelförmig

Ideal für Kinder, Hilfr. Freunde, nicht Ruhm, Zentrum, Karriere, Rest gut.

Die Becherprimel wirkt vor allem auf den Menschen harmonisierend.

Die Dreimasterblume (*Tradescantia-Andersoniana*-Hybriden) ist eine Kübelpflanze für helle Plätze in allen Bagua-Zonen. Im Zentrum sowie in der Kinder- und Partnerschafts-Zone kann sie sich besonders gut entfalten. Sie wirkt inspirierend, harmonisierend und stärkend auf den Menschen. Am besten sind Plätze, wo sie im Blickpunkt steht.

Kletter-Philodendron

Philodendron scandens

Zimmerpflanze

Höhe: 20–250 cm
Blütezeit: keine
Blatt: sattgrün, herzförmig

Ideal Kinder, Hilfreiche Freunde, nicht Familie, Wissen, Zentrum, Rest gut.

Die Kletterpflanze wirkt stärkend und harmonisierend auf ihr Umfeld und etwas schwächer auch auf den Menschen, zusätzlich inspirierend auf Frauen und weniger stark auch auf Männer.

Der Kletter-Philodendron ist eine Liebespflanze und läßt sich ideal mit *Ph. erubescens* (→ Seite 107) kombinieren. Gemeinsam wirken sie wie eine pflanzliche DNS-Spirale und beeinflussen die Hormonproduktion. Er ist maskulin und wächst dann besonders stark, wenn mehr männliche Energie gefordert ist.

Usambaraveilchen

Saintpaulia-Hybriden

Zimmerpflanze

Höhe: 10–20 cm
Blütezeit: Januar–Dezember
Blatt: dunkelgrün, herzförmig

Ideal für Kinder, Hilfreiche Freunde, nicht Karriere, Zentrum, alle anderen gut.

Das Usambaraveilchen wirkt harmonisierend auf sein Umfeld und die Raumatmosphäre.

Die Lanzenrosette *(Aechmea fasciata)* ist ebenfalls maskulin und ideal für die Zonen Hilfreiche Freunde und Kinder. Sie wirkt stärkend auf ihr Umfeld. Die Rosettenpflanze braucht ausreichend Platz, um sich ausdehnen zu können, will aber nicht alleine stehen. Die Ausdünstungen von reifen Äpfeln können die Pflanze zur Blütenbildung anregen. Jede Rosette blüht aber nur einmal.

Birkenfeige

Ficus benjamina

Zimmerpflanze

Höhe: 50–200 cm
Blütezeit: keine
Blatt: sattgrün, lanzettlich

Ideal für Kinder, Hilfreiche Freunde, nicht Zentrum, Karriere, Wissen, Rest gut.

Die Birkenfeige zählt zu den Vermittlern. Sie dämpft bei Menschen und Pflanzen Traurigkeit und hilft, Probleme zu lösen.

Der *Ficus* reinigt den Raum von negativen Energien, denn er kann sie in seinen Blättern sammeln und wirft diese ab, sobald sie voll getränkt sind. Entfernen Sie diese immer gleich, ohne sie mit den Händen zu berühren. Er ist empfindlich gegen Zugluft.

Tigeraloe
Aloe variegata

Zimmerpflanze
Höhe: 10–30 cm
Blütezeit: keine
Blatt: graugrün, länglich

Ideal für Kinder und Hilfreiche Freunde, für alle anderen Bereiche gut.

Die Tigeraloe entfaltet eine reinigende Wirkung auf ihr Umfeld und andere Pflanzen in ihrer Nähe.

Auch die Wolfsmilch *(Euphorbia pseudocactus)* ist ideal für die beiden Baguazonen. Sie wirkt reinigend auf Pflanzen sowie heilend auf Menschen und Pflanzen im Umfeld. Sie produziert die so wichtigen negativ geladenen Sauerstoffionen und kann damit Elektrosmog umwandeln. Ihren Namen verdankt sie der weißen, leicht brennenden Milch, die nach Verletzungen austritt.

Alpenveilchen
Cyclamen persicum

Zimmerpflanze
Höhe: 20–40 cm
Blütezeit: September–April
Blatt: sattgrün, herzförmig

Ideal für Kinder und Hilfreiche Freunde, gut für alle anderen Bereiche.

Die anspruchslose Pflanze wirkt reinigend auf ihr Umfeld und andere Pflanzen.

Die Codonanthe *(Codonanthe crassifolia)* ist ebenfalls ideal für die beiden oben genannten Zonen, nicht aber für Zentrum und Karriere. Sie ist eine prachtvolle Ampelpflanze und ausgesprochen empfehlenswert, denn sie hält die Raumenergie in Balance.

Bogenhanf
Sansevieria trifasciata

Zimmerpflanze
Höhe: 20–70 cm
Blütezeit: keine
Blatt: gelbgrün, länglich

Ideal für die Zonen Kinder und Hilfreiche Freunde, für alle anderen gut.

Der Bogenhanf wirkt reinigend auf sein Umfeld und andere Pflanzen.

Er wirkt maskulin und kann die Stimmung unter den Pflanzen ausbalancieren. Er sollte immer genau in die Mitte einer Pflanzengruppe gestellt werden.

Der Olivenbaum *(Olea europaea)* ist eine ideale Kübelpflanze für die oben genannten Zonen, nicht aber für Wissen und Ruhm. Er stärkt und harmonisiert die Raumenergie, braucht aber einen sonnigen Standort und ein großes Tongefäß mit viel Erde.

Die Pflanzen des Elements Wasser

Einführung

Dem Wasserelement sind die Himmelsrichtung Nord, der Winter, die Nacht, die Mitternacht und die Kälte zuzurechnen. Speichern, Bewahren, abwärts gerichtete Bewegungen, langsamer Fluss, Verschließendes gelten ebenfalls als wasserzugeordnet. Niere, Blase, Knochen, Urin, Knochenmark, Haupthaar, Sexualität, Hüfte, Oberschenkel, Ohren, Hören, der Wille und Ernsthaftigkeit entsprechen dem Wasser.

Stopp: Bitte zuerst intuitiv die Pflanzen auswählen und erst danach weiterlesen! Ihr Wissen würde nämlich die freie Wahl der für Sie richtigen Arten erschweren!

Wasserenergie und Mensch

Bei ausgeglichener Wasserenergie sind Menschen meist sehr konservativ, ruhig und bedächtig, Geheimnisse können ihnen am besten anvertraut werden. Sie weisen einen starken Willen und starke Sexualität auf, sind ernsthaft und konsequent, Angst ist ihnen nahezu unbekannt. Weiter können sie andere gut beeinflussen, sie wissen, was sie wollen, haben Selbstbewusstsein und Überzeugungskraft, sind gute Vermittler, unaufdringlich, mild, aber effizient.

Menschen mit unharmonischer Wasserenergie hamstern gerne, neigen zu Depression, lieben Dunkelheit und Stille, sind verschlossen und unbeholfen, haben schwache Sexualkraft, aber viel Verlangen nach Sex, gelten als ängstlich, geben Stöhngeräusche von sich, jammern viel, sind passiv und gehen meist den Weg des geringsten Widerstandes.

Was bedeutet Ihre Pflanzenwahl?

Wenn Ihre Pflanzenliste viele Wasserpflanzen enthält, so kann dies auf folgendes hinweisen:

- Entweder haben Sie einen konstitutionellen Bedarf nach Wasserenergie
- oder Ihr Wasserelement benötigt eine Harmonisierung.

Wasser-Accessoires wie jede Form von bewegtem oder stehendem Wasser, aber auch Klangspiele, deren Schall sich wellenförmig ausbreitet, können die Wasserenergie noch unterstützen.

Menschen mit zu starker persönlicher Wasserenergie werden wahrscheinlich Pflanzen aus der »Wasser ableitenden« Holzkategorie oder aus der »Wasser kontrollierenden« Erdegruppe wählen. Lassen Sie daher die Pflanzen »zu Ihnen sprechen«, und vertrauen Sie Ihrer Intuition, um ohne Störeinflüsse des Intellektes diejenigen Gewächse herauszufinden, die Ihrer persönlichen Natur am besten entsprechen!

Fingerkraut
Potentilla fruticosa

Kübelpflanze
Höhe: 50–100 cm
Blütezeit: Mai–Oktober
Blatt: sattgrün, gefiedert

Ideal für die Bagua-Zone Karriere, nicht für Wissen, Ruhm, für den Rest gut.

Das Fingerkraut wirkt stärkend auf die Stimmung im Umfeld und harmonisierend auf dessen Energie.

Die Pflanze braucht einen sonnigen Platz und einen großen Kübel.

Die Südseemyrte *(Leptospermum scoparium)* ist ebenfalls ideal für Karriere, nicht aber für das Zentrum. Die Zimmer-/Kübelpflanze für helle Standorte stärkt und unterstützt die Energie von Mensch und Umfeld.

Vergissmeinnicht
Myosotis sylvatica

Balkonpflanze
Höhe: 10–25 cm
Blütezeit: Mai–Juli
Blatt: hellgrün, lanzettlich

Ideal für die Bagua-Zone Karriere, für alle anderen Bereiche gut.

Die Pflanze zählt zu den Vermittlern. Sie hat eine spirituell reinigende und heilende Wirkung auf den Menschen, andere Pflanzen und sein Umfeld.

Die Eisbegonie *(Begonia-Semperflorens*-Hybride) ist ebenfalls ideal für die Zone Karriere, nicht aber für Wissen und Ruhm. Sie wirkt stärkend und auf sehr zarte Art harmonisierend auf die Energie des Umfelds.

Pantoffelblume
Calceolaria integrifolia

Balkonpflanze
Höhe: 30–120 cm
Blütezeit: Mai–September
Blatt: sattgrün, lanzettlich

Ideal für die Bagua-Zone Karriere, für die restlichen Bereiche gut.

Die Pantoffelblume zählt zu den Vermittlern. Sie wirkt auf geistiger und seelischer Ebene reinigend für die Energie des Menschen.

Die Pflanze nicht zu stark düngen, denn sie verträgt dies nicht gut.

Der Palmfarn *(Cycas revoluta)* ist ebenfalls ideal für die Karriere-Zone, nicht aber für das Zentrum, Kinder und Hilfreiche Freunde. Er wirkt harmonisierend auf andere Pflanzen und sein Umfeld und verleiht mit seiner Ausstrahlung dem Raum eine besondere Note.

Bubikopf
Soleirolia soleirolii

Zimmerpflanze
Höhe: 10–15 cm
Blütezeit: keine
Blatt: hellgrün, rundlich

Ideal für die Bagua-Zone Karriere, für alle anderen Bereiche gut.

Das Bubiköpfchen wirkt harmonisierend auf die Raumenergie.

Die Pflanze reagiert empfindlich, wenn ihr Wurzelballen austrocknet. Sie ist auch in Ampeln sehr hübsch.

Das Dickblatt (*Crassula arborescens*) ist ebenfalls ideal für die Bagua-Zone Karriere, nicht aber für Kinder. Es wirkt stärkend und harmonisierend auf den Menschen und sorgt für ein Gleichgewicht zwischen Denken und Fühlen.

Goldlack
Cheiranthus cheiri

Balkonpflanze
Höhe: 20–50 cm
Blütezeit: April–Juni
Blatt: hellgrün, lanzettlich

Ideal für die Bagua-Zone Karriere, gut für alle anderen Bereiche geeignet.

Die Pflanze wirkt reinigend und heilend auf andere Pflanzen.

Die Betelnusspalme (*Areca catechu*) ist ebenfalls ideal für Karriere, nicht aber für Ruhm und Zentrum. Sie wirkt heilend auf Mensch und Pflanze. Die Palme möchte einen hellen Platz, aber nicht direkt in der Sonne. Im Jahreslauf sollte sie öfter umgestellt werden, immer dorthin, wo das Licht gerade am intensivsten ist. Die Pflanze hat gerne einen ständig mit Wasser gefüllten Untersetzer.

Echeverie
Echeveria derenbergii

Zimmerpflanze
Höhe: 10–20 cm
Blütezeit: April–Juni
Blatt: graugrün, lanzettlich

Ideal für die Bagua-Zone Karriere, für alle anderen Bereiche gut.

Die Echeverie wirkt als Vermittler zwischen Mensch und Pflanze und bringt sie miteinander in Einklang. Sie hebt auch die Energie von Mensch und Pflanze.

Die Echeverie steht besonders gerne neben der Flamingoblume (*Anthurium-Scherzerianum*-Hybride, Seite 100). Während der Blüte will sie nur ganz wenig gegossen werden.

Kamelie

Camellia-Hybriden

Zimmerpflanze

Höhe: 20–80 cm
Blütezeit: Oktober–März
Blatt: sattgrün, lanzettlich

Ideal für Karriere, nicht für Kinder und Hilfreiche Freunde, Rest gut.

Die Kamelie wirkt stärkend und harmonisierend auf andere Pflanzen, den Raum und die dort herrschende Stimmung.

Der wunderschönen Kamelie wird zu Unrecht nachgesagt, dass sie bereits nach dem winzigsten Pflegefehler alle Blütenknospen abwerfen würde. Wenn Sie die folgenden grundlegenden Ansprüche berücksichtigen, werden Sie viel Freude mit der Pflanze haben: Die Kamelie will einen kühlen Standplatz und sollte nicht neben der Heizung stehen. Drehen Sie die Pflanze niemals und gießen Sie immer mit kalkfreiem, weichem Wasser.

Zimmerlinde

Sparmannia africana

Zimmerpflanze

Höhe: 50–200 cm
Blütezeit: Dezember–März
Blatt: lindgrün, herzförmig

Ideal für Karriere, nicht für Reichtum und Familie, für alle anderen gut.

Die Zimmerlinde wirkt sehr stark harmonisierend auf Mensch und Raumenergie.

Sie gleicht energetische Einseitigkeiten aus, indem sie ein Überangebot mit ihren großen samtigen Blättern aufnimmt. Die Pflanze kann auch Energie austauschen – zum Beispiel depressive Stimungen lindern. Sie braucht einen großen Topf und einen nicht zu warmen Platz. Nur ältere Pflanzen blühen.

Lavendel

Lavandula angustifolia

Kübelpflanze

Höhe: 20–60 cm
Blütezeit: Juni–September
Blatt: graugrün, nadelförmig

Ideal für die Bagua-Zone Karriere, für alle anderen Bereiche gut.

Der Lavendel stärkt Mensch und Umfeld. Er kann die Gefühle von Personen und Pflanzen harmonisieren und übernimmt eine Schutzfunktion für andere Pflanzen. Auf den Menschen wirkt er außerdem sehr inspirierend.

Er hat selbst eine sehr hohe Eigenschwingung und überträgt diese über seinen intensiven Duft auf sein Umfeld. Auf den Menschen wirkt der Geruch euphorisierend. Der Lavendel braucht einen möglichst sonnigen Standort und in raueren Gegenden einen Winterschutz.

Chilenischer Jasmin

Mandevilla laxa

Kübelpflanze

Höhe: 60–400 cm
Blütezeit: Juni–August
Blatt: sattgrün, lanzettlich

Ideal für die Bagua-Zone Karriere, für alle anderen Bereiche gut.

Der Chilenische Jasmin zählt zu den vermittelnden Pflanzen.

Die Pflanze kann lebensbejahende Gedankengänge stark anregen und wirkt vor allem über ihren intensiven Duft. Besonders sensible Menschen, die sich auf diesen Impuls nicht einlassen können oder wollen, reagieren auf ihn manchmal mit Kopfschmerzen. Der Chilenische Jasmin will einen sonnigen Platz und braucht ein festes Spalier zum Klettern. Im Winter wirft er die Blätter ab, treibt aber im Frühjahr wieder aus.

Kannenstrauch

Nepenthes-Hybriden

Zimmerpflanze

Höhe: 20–40 cm
Blütezeit: keine
Blatt: hellgrün, lanzettlich

Ideal für Karriere, nicht für Zentrum und Partnerschaft, alle anderen gut.

Der Kannenstrauch stärkt sein Umfeld und harmonisiert die Raumenergie.

Die Pflanze will ihre Kannen, mit denen sie Insekten fängt, frei entfalten können und sollte deshalb immer in einem hängenden Gefäß gezogen werden. Ideal sind Räume mit hoher Luftfeuchte wie Bad und Küche.

Aufrechte Pelargonie

Pelargonium-Zonale-Hybriden

Balkonpflanze

Höhe: 20–50 cm
Blütezeit: Mai–Oktober
Blatt: sattgrün, herzförmig

Ideal für die Bagua-Zone Karriere, für alle anderen Bereiche gut.

Die Pelargonie wirkt stärkend und harmonisierend auf ihr Umfeld und die Raumenergie.

Die beliebte Aufrechte Pelargonie wird im Volksmund auch Balkongeranie genannt. Sie ist etwas empfindlich gegen Staunässe und sollte in regenreichen Gebieten nur in Gefäßen mit gutem Wasserabzug kultiviert werden. Wer einen entsprechenden Platz hat, kann die Pflanzen auch hell und kühl überwintern – dabei unbedingt nur wenig gießen.

Elefantenfuß

Dioscorea elephantipes

Zimmerpflanze

Höhe: 20–150 cm
Blütezeit: keine
Blatt: hellgrün, herzförmig

Ideal für die Bagua-Zone Karriere, für alle restlichen Bereiche gut.

Die Kletterpflanze wirkt als Vermittler und hat einen heilenden Einfluß auf andere Pflanzen. Besonders frisch umgetopfte Pflanzen erholen sich in ihrer Nähe wieder schnell.

Der Elefantenfuß mag die Gesellschaft anderer Pflanzen. Seinen Namen bekam er von seinem fast kugeligen, von vielen Höckern bedeckten Stamm. Aus diesem bilden sich viele zarte Triebe, die ein Klettergerüst brauchen. Im Sommer braucht die Pflanze eine Ruhezeit, in der sie nur wenig gegossen wird.

Gloxinie

Sinningia-Hybriden

Zimmerpflanze

Höhe: 15–30 cm
Blütezeit: März–August
Blatt: dunkelgrün, lanzettlich

Ideal für die Bagua-Zone Karriere, für alle anderen Bereiche gut.

Die Gloxinie wirkt als Vermittler zwischen Mensch und Pflanze, dazu noch reinigend auf andere Pflanzen und den Menschen, vor allem auf dessen Gefühle. Sie verschafft sich durch ihre Vermittlerrolle auch Aufmerksamkeit. Deshalb wenden sich die Menschen der Gloxinie oft spontan zu, selbst wenn sie gedanklich eigentlich stark mit etwas anderem beschäftigt sind.

Die Pflanze mag es nicht, wenn beim Gießen ihre Blätter mit Wasser benetzt werden.

Grünlilie

Chlorophytum comosum

Zimmerpflanze

Höhe: 20–100 cm
Blütezeit: Juni–November
Blatt: zweifarbig, linealisch

Ideal für die Zone Karriere, nicht für Ruhm, restliche Bereiche gut.

Die Grünlilie zählt zu den Vermittlern. Sie wirkt energetisch reinigend auf Mensch, Pflanze und Umfeld. Wenn unser energetischer Haushalt im Ungleichgewicht ist, kann sie ihn ausgleichen.

Sie braucht genügend Freiraum für ihre Blütentriebe, an denen sich kleine Jungpflanzen bilden. Am liebsten steht sie etwas höher, auf einer Säule oder einem Schrank, und nicht zu eng neben anderen Pflanzen.

Kolbenfaden

Aglaonema commutatum

Zimmerpflanze

Höhe: 20–60 cm
Blütezeit: blüht selten
Blatt: zweifarbig, lanzettlich

Ideal für die Bagua-Zone Karriere, für alle anderen Bereiche gut.

Der Kolbenfaden wirkt in jeder Form stärkend auf die Energie des Raums, in dem er steht.

Auch das Buntblatt (*Caladium*-Hybride) ist ideal für die Bagua-Zone Karriere, nicht aber für Ruhm und Zentrum. Es wirkt genauso wie der Kolbenfaden, besitzt aber etwas sanftere Schwingungen. Es ist etwas empfindlich, wenn Wasser auf seine Blätter gelangt.

Drehfrucht

Streptocarpus-Hybriden

Zimmerpflanze

Höhe: 20–40 cm
Blütezeit: Mai–September
Blatt: sattgrün, länglich

Ideal für Karriere, nicht für Wissen, Ruhm und Zentrum, alle anderen gut.

Die Drehfrucht wirkt vor allem auf Personen inspirierend, bedingt auch auf die Raumatmosphäre. Sie unterstützt positive Gedanken und kann negative umwandeln.

Die Marante (*Maranta leuconeura* 'Kerchoviana') ist ebenfalls ideal für die Bagua-Zone Karriere. Sie wirkt stärkend auf den Raum und harmonisiert seine Energie. Sie will etwas kräftiger gegossen werden als die Drehfrucht. Maranten rollen übrigens die Blätter etwas ein, wenn sie nachts »schlafen«. Wenn sie sich jedoch bei Tage gar nicht entfalten, wird es Zeit für das Gießen.

Nestfarn

Asplenium nidus

Zimmerpflanze

Höhe: 20–50 cm
Blütezeit: keine
Blatt: hellgrün, länglich

Ideal für die Zone Karriere, nicht für Wissen und Ruhm, für alle anderen gut.

Der Nestfarn wirkt inspirierend auf sein Umfeld und den Menschen.

Die Madagaskarpalme (*Pachypodium lamieri*) ist eine Ausnahme unter den Wasserpflanzen: Sie passt nicht in die Zone Karriere und auch nicht ins Zentrum, gut aber in alle anderen. Sie wirkt als Vermittler und kann starke Gefühlsspannungen ausgleichen. Sie bevorzugt die Gesellschaft anderer Pflanzen, kann zur Not aber auch alleine stehen. Die Pflanze verträgt zwar Heizungsluft, leidet aber unter Elektrosmog.

Die Pflanzen-Spezialisten

Einführung

So unterschiedlich sich die Pflanzen schon in ihrem äußeren Erscheinungsbild präsentieren, so verschieden ist auch ihre innere Qualität. Zusätzlich zu den Fünf-Elemente-Pflanzen existiert eine ganz besondere Kategorie der Pflanzen-Spezialisten. Diese unterscheiden sich vom Rest der Pflanzenwelt durch ganz besondere Eigenschaften. Ganz so, wie es außergewöhnliche Menschen mit besonderen Talenten gibt, scheint auch in der Pflanzenwelt eine Aufgabenverteilung zum Wohle des Ganzen vorzuliegen. Da dies nahezu ausschließlich in der feinstofflichen Welt des Unsichtbaren vor sich geht, kann dies bei rein äußerlicher Betrachtung gar nicht festgestellt werden. Deshalb neigen wir Menschen zur recht oberflächlichen Annahme, alle Pflanzen seien mehr oder weniger gleich. Dass dem nicht so ist, merken wir erst, wenn Pflanzen innerhalb der Wohnung oder in einem einzelnen Raum umgestellt wurden – und sich die Räume danach völlig anders »anfühlen«. Da alles miteinander in Beziehung steht, gehen solche Umgestaltungsprozesse auch meist Hand in Hand mit Veränderungen im Leben oder großen Erkenntnisschritten. Bisher haben wir diesen Zusammenhängen viel zu wenig Beachtung geschenkt – ein Mangel, auf den uns die Pflanzen-Spezialisten übrigens ausdrücklich hinweisen wollen. Anders als bei den im Garten wachsenden Pflanzen-Spezialisten (Literatur → Seite 142), wirken die in Gefäßen gezogenen Spezialisten in der Wohnung oder auf dem Balkon subtiler und zurückhaltender.

Die folgenden Porträts

Auf den nächsten sechs Seiten haben wir Ihnen eine Auswahl beliebter und häufig in Wohnungen und auf Balkonen vorkommender Pflanzen zusammengestellt, die Sie möglicherweise schon beim Durchblättern der Seiten mit den Elemente-Pflanzen vermisst haben. Diese Spezialisten sind jene Gewächse, die sich keinem der klassischen Fünf Elemente zuordnen lassen, da sie unterschiedliche Eigenschaften und Wirkungen in das Gefüge des Lebensraums Wohnung einbringen. In gewissem Sinn sind auch diese Pflanzen immer ein Teil des »Großen Ganzen«, sie geben ihre speziellen Eigenschaften im permanenten Wechselspiel an den Gesamtorganismus Wohnung ab, um dadurch die Menschen, andere Pflanzen und auch die Raumenergie zu nähren und aufzubauen.

Der richtige Standort

In einem künstlichen Umfeld – wie es die Wohnung nun einmal ist – können die Pflanzen ihre Energien nur weitaus eingeengter als im Garten und auch lediglich nach den dort vorgegebenen Strukturen entfalten. Daher ist in Innenräumen im Gegensatz zum Freien die Wahl des Standortes auch für die Spezialisten sehr wichtig. Deshalb gibt es auch für diese Gruppe Hinweise zur idealen Bagua-Zone. Hier entfalten sie ihre maximale Energie, und hier können sie ihre ganze Kraft dazu verwenden, ihre speziellen Eigenschaften zum Wohle des Ganzen beizusteuern.

Paradiesvogelblume
Strelitzia reginae

Kübelpflanze
Höhe: 70–180 cm
Blütezeit: Februar–August
Blatt: hellgrün, länglich oval

Nicht geeignet für Ruhm und Zentrum, für alle restlichen Bereiche gut.

Die Paradiesvogelblume oder Strelitzie fungiert als Vermittler, sie hat auch eine sanfte, feminine Wirkung auf den Menschen und kräftigt seine Energien.

Die Paradiesvogelblume bringt als Liebespflanze mehr Sinnlichkeit und Erotik in Ihr Leben. Am stärksten entfaltet sie diese erotisierende Wirkung an einem sonnigen Platz. Die Pflanze braucht ein großes Gefäß mit gutem Wasserabzug und verträgt keine Staunässe. Vor dem ersten Frost sollte sie ins schützende Haus gebracht werden.

Blaue Mauritius
Convolvulus sabatius

Balkon-/Kübelpflanze
Höhe: 15–80 cm
Blütezeit: Mai–Oktober
Blatt: silbergrün, rundlich

Ideal für alle Bagua-Zonen, sie kann ihre Wirkungen überall entfalten.

Die Blaue Mauritius fördert die intuitive Kommunikation zwischen den Pflanzen und Menschen. Sie macht uns auch empfänglicher für die Wirkungen der Pflanzen.

Die Pflanze wirkt besonders gut auf einem erhöhten Platz, zum Beispiel in einer Ampel oder in einem Gefäß, das auf einer Säule steht. Prachtvoll und üppig wird sie blühen, wenn Sie sie vor der Winterruhe kräftig zurückschneiden.

Guacamayastrauch
Juanulloa aurantiaca

Kübelpflanze
Höhe: 60–180 cm
Blütezeit: Juni–Oktober
Blatt: dunkelgrün, oval

Ideal für alle Bagua-Zonen mit Ausnahme des Zentrums, hier nicht so gut.

Der Guacamayastrauch zählt zu den vermittelnden Pflanzen. Er besitzt auch eine starke Wirkung auf den Menschen und aktiviert seine Milztätigkeit.

Diese schöne und noch seltene südamerikanische Pflanze will einen sonnigen Platz, gedeiht jedoch im Wintergarten besser als am Blumenfenster. Sie mag es nicht, wenn während der Wachstumszeit die Erde des Wurzelballens völlig austrocknet. Im Winter genügt es, sie nur leicht feucht zu halten. Jedes Jahr kräftig zurückschneiden, damit sie buschiger wächst.

Calamondin-Orange
x Citrofortunella mitis

Kübelpflanze
Höhe: 60–150 cm
Blütezeit: ganzjährig
Blatt: olivgrün, oval

Ideal für alle Bagua-Zonen, sie entfaltet ihre Wirkungen in jedem Bereich.

Die Calamondin-Pflanze entspricht dem Holzelement, sie stärkt und harmonisiert den Menschen. Die Frucht hingegen zählt zum Feuerelement, wirkt vermittelnd und aktivierend auf den Menschen, dazu reinigend auf Pflanzen. Sie kann bei Menschen und Pflanzen das Immunsystem stärken.

Die Pflanze braucht einen großen Tontopf.

Zitrone
Citrus limon 'Meyeri'

Kübelpflanze
Höhe: 60–200 cm
Blütezeit: ganzjährig
Blatt: sattgrün, oval

Ideal für alle Bagua-Zonen, sie entfaltet ihre Wirkungen in jedem Bereich.

Die Zitrone zählt zu den Vermittlern. Die Pflanze gehört zum Wasserelement, sie wirkt auf Menschen und andere Pflanzen aktivierend. Die Zitronenfrucht am Strauch jedoch entspricht dem Element Feuer, sie trägt zur Reinigung des Menschen, anderer Pflanzen und ihres Umfelds bei. Eine Pflanze mit Früchten wirkt entsprechend aktivierend und reinigend.

Die Zitrone will einen sonnigen Platz und einen großen, unglasierten Tontopf. Ihre weißen Blüten verströmen einen aromatischen Duft.

Washingtonie
Washingtonia robusta

Kübelpflanze
Höhe: 60–300 cm
Blütezeit: keine
Blatt: hellgrün, fächerförmig

Ideal für alle Bagua-Zonen, sie entfaltet ihre Wirkungen in jedem Bereich.

Die Washingtonie wirkt stärkend auf den Menschen, die Raumenergie und dessen Klima, auf Mensch und Raum harmonisierend sowie auf den Menschen inspirierend.

Die Washingtonie gibt negativ geladene Ionen ab und kann Elektrosmog sehr intensiv verarbeiten. Sie will einen großen Topf und möchte alleine stehen. Sie wächst ziemlich schnell und braucht Platz.

Topfrose
Rosa chinensis

Zimmerpflanze
Höhe: 20–40 cm
Blütezeit: Juni–September
Blatt: dunkelgrün, oval

Ideal für alle Bagua-Zonen außer Ruhm, Zentrum und Karriere.

Die Topfrose oder Chinesische Rose zählt zu den Vermittlern. Sie hebt die Stimmung bei Menschen und Pflanzen in ihrem Umfeld. Sie sendet auch Heilimpulse auf geistiger Ebene zu Menschen und Pflanzen.

Die Pflanze entfaltet ihre Wirkungen am besten an einem Platz, wo sie gut im Blickfeld steht. Dadurch löst sie beim Betrachter Heilimpulse aus. Besonders gute Orte sind der Schreibtisch, das Bad oder Kinderzimmer. Die Zwergrosen verlieren wie die Gartenrosen im Herbst ihr Laub und wollen kühl überwintern.

Hanfpalme
Trachycarpus fortunei

Kübelpflanze
Höhe: 60–350 cm
Blütezeit: Sommer
Blatt: olivgrün, gefächert

Ideal für alle Bagua-Zonen mit Ausnahme des Zentrums, hier nicht so gut.

Die Hanfpalme wirkt auf ihr Umfeld und etwas schwächer auch auf Personen stärkend. Gleichermaßen harmonisiert sie stark ihr Umfeld und etwas schwächer andere Pflanzen.

Die widerstandsfähige Pflanze setzt lebenswichtige negativ geladene Ionen frei und wandelt Elektrosmog um. Sie braucht einen großen Topf und viel Platz. Sie verträgt sogar etwas Frost.

Trompetenblume
Campsis radicans

Kübelpflanze
Höhe: 60–250 cm
Blütezeit: Juli–September
Blatt: sattgrün, gefiedert

Ideal für alle Bagua-Zonen, sie entfaltet ihre Wirkungen in jedem Bereich.

Die Trompetenblume stärkt die Energie ihres Umfeldes und sorgt für ein harmonisches Klima, indem sie emotionale Energiespitzen ausgleicht. Dabei wirkt sie reinigend auf die von Personen abgegebenen Energien, nicht aber auf den Menschen selbst.

Sie braucht einen hellen Platz und verträgt sich gut mit anderen Pflanzen. Sie klettert mit ihren Haftwurzeln an Gerüsten und auch direkt an Mauern hinauf. Schneiden Sie sie im Frühjahr zurück, denn sie blüht nur am diesjährigen Holz.

Scheinmalve
Anisodontea capensis

Kübelpflanze
Höhe: 40–100 cm
Blütezeit: Mai–Oktober
Blatt: sattgrün, gelappt

Ideal für alle Bagua-Zonen, sie entfaltet ihre Wirkungen in jedem Bereich.

Die Scheinmalve zählt zu den Vermittlern. Sie wirkt spirituell reinigend auf Menschen und Pflanzen und ist ein Blütenwunder. Sie aktiviert die emotionalen Kräfte des Herzens, hilft bei »Herzeleid« wie Liebeskummer, dem Verlust eines Menschen oder Haustieres.

Die Pflanze will viel Platz und einen großen, unglasierten Tontopf.

Frauenhaar
Scirpus cernuus

Zimmerpflanze
Höhe: 15–30 cm
Blütezeit: ganzjährig
Blatt: sattgrün, binsenartig

Ideal für alle Bagua-Zonen, es entfaltet seine Wirkungen in jedem Bereich.

Das Frauenhaar, auch Simse genannt, trägt alle Fünf Elemente in sich und wirkt nach außen neutral. Es zählt zu den Vermittlern und wirkt spirituell heilend und harmonisierend auf Menschen und Pflanzen. Es reinigt auch von destruktiven oder negativen Gedanken. Andere Pflanzen kann es von belastenden Energien, die sie aufgenommen haben, reinigen.

Das Frauenhaar ist mit seinem überhängenden Wuchs eine ideale Ampelpflanze. Sein Wurzelballen sollte nie austrocknen.

Zebrakraut
Tradescantia zebrina

Zimmerpflanze
Höhe: 20–60 cm
Blütezeit: blüht selten
Blatt: gestreift, lanzettlich

Ideal für alle Bagua-Zonen, es entfaltet seine Wirkungen in jedem Bereich.

Das lustig gestreifte Zebrakraut enthält alle Fünf Elemente in sich, und nach außen entsteht dabei eine neutrale Wirkung. Es zählt zu den Vermittlern und kann sehr gut bei anderen Pflanzen Spannungen abbauen. Diese entstehen häufig durch Pflegefehler, aber auch durch emotionale Konflikte zwischen den Bewohnern. Über diese Umwandlung sorgt das Zebrakraut gleichzeitig für ein besseres Raumklima.

Laeliocattleya 'Creamton'

Laeliocattleya-Hybride

Zimmerpflanze

Höhe: 20–50 cm
Blütezeit: sortenabhängig
Blatt: hellgrün, riemenförmig

Ideal für alle Bagua-Zonen, sie entfaltet ihre Wirkungen in jedem Bereich.

Die Orchidee mit den gelb-roten Blüten wirkt auf geistig-seelischer Ebene heilend auf Personen, die sich von ihrer Form und den Farben angezogen fühlen. Sie kann von anderen Pflanzen beeinflusst werden, deshalb besser alleine stellen.

Benetzen Sie die Blütenknospen möglichst nicht mit Wasser. Sie sollten im Winter kühl stehen und nur spärlich gegossen werden.

Für die *Laeliocattleya*-Hybride 'Culminari Recital' mit zweifarbigen Blüten in Rosa und Karminrot gilt das Gleiche.

Odontoglossum

Odontoglossum-Hybride

Zimmerpflanze

Höhe: 20–40 cm
Blütezeit: sortenabhängig
Blatt: dunkelgrün, riemenförmig

Ideal für alle Bagua-Zonen, sie entfaltet ihre Wirkungen in jedem Bereich.

Die Orchidee mit den gelbrot getigerten Blüten wirkt auf geistig-seelischer Ebene heilend auf Personen, die sich von ihrer Form und den Farben angezogen fühlen. Ihre Energie kann von anderen Pflanzen beeinflusst werden, deshalb besser alleine stellen.

Die Hybriden fühlen sich im Sommer draußen an halbschattigen Plätzen wohl. Sie sollten nach der Blüte etwa zwei Monate lang kühl stehen.

Dendrobium 'Daniela'

Dendrobium spectabile

Zimmerpflanze

Höhe: 30–60 cm
Blütezeit: Dezember–Februar
Blatt: sattgrün, lanzettlich

Nicht für Wissen, Partnerschaft, Kinder und Hilfreiche Freunde, Rest gut.

Bei dieser Orchidee mit den bizarr gescheckten Blüten enthält der rote Teil das Element Feuer und wirkt auf den Menschen spirituell heilend. Der gelbe Teil hingegen entspricht dem Element Metall und wirkt auf geistiger Ebene heilend auf Pflanzen.

Dendrobien nehmen mit einem sehr kleinen Gefäß vorlieb und können im Sommer im Freien gut in einer hellen, aber nicht sonnigen Ecke stehen. Im Winter brauchen sie einen kühlen Platz, und sie sollten wirklich sehr trocken gehalten werden.

Miltonia
Miltonia-Hybriden

Zimmerpflanze
Höhe: 20–50 cm
Blütezeit: Oktober–Mai
Blatt: olivgrün, riemenförmig

Ideal für alle Bagua-Zonen, sie entfaltet ihre Wirkungen in jedem Bereich.

Die Orchidee mit den weiß-rot-gelben Blüten wirkt auf geistig-seelischer Ebene heilend auf Personen, die sich von ihrer Form und den Farben angezogen fühlen. Ihre Ausstrahlung kann von anderen Pflanzen beeinflusst werden, deshalb besser alleine stellen.

Miltonien brauchen einen Standort, an dem die Temperatur in der Nacht deutlich absinkt. Sie wollen möglichst gleichmäßig feuchte Erde, sind aber empfindlich, wenn sie beim Gießen mit Wasser benetzt werden. Im Winter sparsamer gießen.

Laelia
Laelia purpurata

Zimmerpflanze
Höhe: 20–50 cm
Blütezeit: Juni–September
Blatt: sattgrün, riemenförmig

Ideal für alle Bagua-Zonen, sie entfaltet ihre Wirkungen in jedem Bereich.

Die Orchidee mit den lila-purpurnen Blüten wirkt auf geistig-seelischer Ebene heilend auf Personen, die sich von ihrer Form und den Farben angezogen fühlen. Sie kann von anderen Pflanzen beeinflusst werden, deshalb besser alleine stellen.

Diese Art wirkt als Liebespflanze aphrodisierend und hilft verschlossenen Partnern, mehr aus sich herauszugehen. Musik von Mozart oder Beethoven steigert die Wirkung. Der ideale Standort ist in der Partnerecke der Wohnung, nicht aber im Schlafzimmer.

Malayenblume
Phalaenopsis-Hybriden

Zimmerpflanze
Höhe: 20–40 cm
Blütezeit: ganzjährig
Blatt: sattgrün, oval

Ideal für alle Bagua-Zonen, sie entfaltet ihre Wirkungen in jedem Bereich.

Die Orchidee mit den rosa Blüten wirkt auf geistig-seelischer Ebene heilend für Personen, die sich von ihrer Form und der Farbe angezogen fühlen. Andere Pflanzen könnten ihre Energie beeinflussen, deshalb besser alleine stellen.

Die Malayenblume ist die beliebteste Orchidee und kann am Fenster über Jahre hinaus blühen. Sie verträgt keine Sonne und sollte auch nicht ins Herz gegossen werden.

Die idealen Pflanzen für die Bagua-Zonen

Keine Regel ohne Ausnahme

Jeder Bagua-Zone ist ein bestimmtes Element zugeordnet, deshalb sind in der Regel die Pflanzen dieses Elements ideal für sie. Bei der Untersuchung ergaben sich jedoch Ausnahmen, deshalb finden Sie hier die idealen Arten noch einmal aufgeführt. Die meisten Pflanzen sind aber auch für andere Zonen zumindest gut geeignet, viele der Spezialisten (→ Seite 128–133) sogar für alle. Ihre Pflanzenwahl sollten Sie immer intuitiv vornehmen.

Karriere. Dieser Zone ist das Element Wasser zugeordnet.

- **Balkon-/Kübelpflanzen:**

Eisbegonie (*Begonia-Semperflorens*-Hybride), Pantoffelblume (*Calceolaria integrifolia*), Goldlack (*Cheiranthus cheiri*), Lavendel (*Lavandula angustifolia*), Chilenischer Jasmin (*Mandevilla laxa*), Vergissmeinnicht (*Myosotis sylvatica*), Geranie (*Pelargonium-Zonale*-Hybride 'Fidelio'), Fingerkraut (*Potentilla fruticosa*).

- **Zimmerpflanzen:**

Kolbenfaden (*Aglaonema commutatum*, Liebespflanze!), Betelnusspalme (*Areca catechu*), Nestfarn (*Asplenium nidus*), Buntblatt (*Caladium*-Hybride), Kamelie (*Camellia*-Hybride), Grünlilie (*Chlorophytum comosum*), Dickblatt (*Crassula arborescens*), Palmfarn (*Cycas revoluta*), Elefantenfuß (*Dioscorea elephantipes*), Echeverie (*Echeveria derenbergii*), Südseemyrte (*Leptospermum scoparium*), Marante (*Maranta leuconeura*), Kannenstrauch (*Nepenthes*-Hybride), Gloxinie (*Sinningia*-Hybride), Bubiköpfchen (*Soleirolia soleirolii*), Zimmerlinde (*Sparmannia africana*), Drehfrucht (*Streptocarpus*-Hybride).

Partnerschaft. Dieser Zone ist das Element Erde zugeordnet.

- **Balkon-/Kübelpflanzen:**

Schmucklilie (*Agapanthus praecox*), Strauchmargerite (*Argyranthemum frutescens*), Bougainvillee (*Bougainvillea glabra*), Topfheide (*Erica gracilis*), Schneeglöckchen (*Galanthus nivalis*), Neuseeländer Flachs (*Phormium tenax*), Pfeilbambus (*Pseudosasa japonica*), Husarenknöpfchen (*Sanvitalia procumbens*), Mutterkraut (*Tanacetum parthenium*), Dreimasterblume (*Tradescantia-Andersoniana*-Hybride), Hornveilchen (*Viola-Cornuta*-Hybride).

- **Zimmerpflanzen:**

Alokasie (*Alocasia sanderiana*), Lederfarn (*Arachniodes aristata*), Madagaskar-Immergrün (*Catharanthus roseus*), Drachenbaum (*Dracaena fragrans*), Prärieenzian (*Eustoma grandiflorum*), Haworthie (*Haworthia*-Hybride), Laelia (*Laelia purpurata*, Spezialist, Liebespflanze!), Fensterblatt (*Monstera deliciosa*, Liebespflanze!), Errötender Baumfreund (*Philodendron erubescens*, feminin, Liebespflanze!), Kreuzkraut (*Senecio*-Hybride).

Familie. Diese Zone ist dem Element Holz zugeordnet.

- **Balkon-/Kübelpflanzen:**

Aukube (*Aucuba japonica*), Kissen-Berberitze (*Berberis candidula*), Korallenstrauch (*Erythrina crista-galli*), Hortensie (*Hydrangea macrophylla*), Fleißiges Lieschen (*Impatiens-Neu-Guinea*-Hybride), Lorbeer (*Laurus nobilis*), Duftpelargonie (*Pelargonium crispum*), Granatapfel (*Punica granatum*), Balkonrose (*Rosa* 'Sonnenkind'), Spaltblume (*Schizanthus-Wisetonensis*-Hybride), Kapuzinerkresse (*Tropaeolum*-Hybride), Palmlilie (*Yucca aloifolia*).

- **Zimmerpflanzen:**

Rippenfarn (*Blechnum gibbum*), Klivie (*Clivia miniata*, Liebespflanze!), Kroton (*Codiaeum variegatum*, Liebespflanze!), Christusdorn (*Euphorbia milii*), Efeuaralie (*Fatshedera lizei*), Indischer Gummibaum (*Ficus benghalensis*), Geigenfeige (*Ficus lyrata*), Kussmäulchen (*Hypocyrta glabra*), Flammendes Käthchen (*Kalanchoë blossfeldiana*), Baumfreund (*Philodendron selloum*), Rose (*Rosa* 'The Fairy'), Strahlenaralie (*Schefflera arboricola*).

Reichtum. Dieser Zone ist wie auch der Familien-Zone das Element Holz zugeordnet. Ideal sind alle unter Familie aufgeführten Pflanzen mit Ausnahme des Fleißigen Lieschens (*Impatiens-Neu-Guinea*-Hybride).

Zentrum. Dieser Zone ist wie auch der Partnerschaft das Element Erde zugeordnet. Ideal sind alle unter Partnerschaft aufgeführten Pflanzen mit Ausnahme des Lederfarns (*Arachniodes aristata*), der Topfheide (*Erica gracilis*), des Schneeglöckchens (*Galanthus nivalis*) und der Laelia (*Laelia purpurata*). Zusätzlich ist die Dreimasterblume (*Tradescantia-Andersoniana*-Hybride) ideal.

Hilfreiche Freunde. Dieser Zone ist das Element Metall zugeordnet.

- **Balkon-/Kübelpflanzen:**

Gänseblümchen (*Bellis perennis*), Kapernstrauch (*Capparis spinosa*), Orangenblume (*Choisya ternata*), Clematis (*Clematis montana* 'Rubens'), Prunkwinde (*Ipomoea purpurea*), Winterjasmin (*Jasminum nudiflorum*), Olivenbaum (*Olea europaea*), Blattschmuck-Pelargonie (*Pelargonium*-Hybride 'Chelsea Gem'), Federborstengras (*Pennisetum alopecuroides*, gegen Elektrosmog), Harfenstrauch (*Plectranthus coleoides*), Bleiwurz (*Plumbago auriculata*), Tibouchina (*Tibouchina urvilleana*).

- **Zimmerpflanzen:**

Lanzenrosette (*Aechmea fasciata*, maskulin), Aloe (*Aloe variegata*), Codonanthe (*Codonanthe crassifolia*), Alpenveilchen (*Cyclamen persicum*), Wolfsmilch (*Euphorbia pseudocactus*, gegen Elektrosmog), Gummibaum (*Ficus benjamina*), Gardenie (*Gardenia jasminoides*), Kletter-Baumfreund (*Philodendron scandens*, maskulin, Liebespflanze!), Becherprimel (*Primula obconica*), Zimmer-Azalee (*Rhododendron-Simsii*-Hybride), Usambaraveilchen (*Saintpaulia-Jonantha*-Hybride), Bogenhanf (*Sansevieria trifasciata*, maskulin).

Kinder. Diese Zone ist wie die Hilfreichen Freunde dem Element Metall zugeordnet. Ideal sind alle unter Hilfreiche Freunde aufgeführten Arten, zusätzlich auch die Dreimasterblume (*Tradescantia-Andersoniana*-Hybride) und das Hornveilchen (*Viola-Cornuta*-Hybride).

Wissen. Dieser Zone ist wie der Partnerschaft das Element Erde zugeordnet. Ideal sind alle unter Partnerschaft aufgeführten Arten mit Ausnahme der Laelia (*Laelia purpurata*) und des Hornveilchens (*Viola-Cornuta*-Hybride).

Ruhm. Dieser Zone ist das Element Feuer zugeordnet.

- **Balkon-/Kübelpflanzen:**

Agave (*Agave americana*, gegen Elektrosmog), Zwergpalme (*Chamaerops humilis*), Kapkörbchen (*Dimorphotheca sinuata*), Feige (*Ficus carica*), Fuchsie (*Fuchsia*-Hybride), Strauchveronika (*Hebe-Andersonii*-Hybride), Hibiskus (*Hibiscus rosa-sinensis*), Hornklee (*Lotus berthelotii*), Oleander (*Nerium oleander*), Kissenprimel (*Primula-Vulgaris*-Hybride), Tulpe (*Tulipa* 'Couleur Cardinal'), Garten-Stiefmütterchen (*Viola-Wittrockiana*-Hybride), Hornveilchen (*Viola-Cornuta*-Hybride).

- **Zimmerpflanzen:**

Schamblume (*Aeschynanthus radicans*), Zierananas (*Ananas comosus*, gegen Elektrosmog, Liebespflanze!), Flamingoblume (*Anthurium-Scherzerianum*-Hybride, Liebespflanze!), Feuerrote Rochee (*Crassula coccinea*), Ruhmeskrone (*Gloriosa rothschildiana*, Liebespflanze!), Amaryllis (*Hippeastrum*-Hybride), Kentia-Palme (*Howeia forsteriana*), Dattelpalme (*Phoenix roebelenii*, Liebespflanze!), Helmkraut (*Scutellaria costaricana*), Vriesee (*Vriesea splendens*, Liebespflanze!).

Glossar

Einige der im Text genannten Fachausdrücke sind nicht allgemein geläufig und werden deshalb hier erklärt.

Bagua: Raster zum Analysieren der Grundrisse von Wohnungen und Räumen. Es gibt Auskunft über Lebensaspekte.

Chi: Die Lebensenergie, die unsichtbar und doch in allem vorhanden ist.

Erdelement: Es steht für sammelnde und aufnehmende Energie und ist vergleichbar mit dem Spätsommer. Seine Farben sind Gelb, Ocker, Orange und Braun.

Familien-Zone: Bereich des Bagua, der mit Ihren Beziehungen zu Eltern und Vorfahren verknüpft ist.

Feuerelement: Es steht für aktive, nach außen gerichtete Energie und ist dem Sommer zugeordnet. Seine Farbe ist Rot.

Harmonisierend: Pflanzen, die Mensch, Raum oder andere Pflanzen dabei unterstützen, in die eigene Mitte zu kommen.

Hilfreiche-Freunde-Zone: Bereich des Bagua, der mit den geistigen und materiellen Hilfen für Ihr Leben verknüpft ist.

Holzelement: Es steht für kräftig nach oben strebende Energie und ist dem Frühling zugeordnet. Seine Farbe ist Grün.

Inspirierend: Pflanze mit erhellender, inspirierender Wirkung auf ihre Umgebung.

Karriere-Zone: Bereich des Bagua, der mit Ihrem beruflichen und privaten Lebensfluss zusammenhängt.

Kinder-Zone: Bereich des Bagua, der mit Ihren leiblichen und geistigen Kindern und der Kreativität verbunden ist.

Liebespflanzen: Pflanzen, die sich positiv auf Liebe und Beziehungen auswirken können.

Metallelement: Es steht für nach innen gehende, verdichtete Energie und entspricht dem Herbst. Seine Farben sind Weiß, Silber und Grau.

Partnerschafts-Zone: Bereich des Bagua, der mit Ihren Beziehungen zu anderen Menschen verknüpft ist.

Reichtums-Zone: Bereich des Bagua, der Ihren materiellen und geistigen Reichtum symbolisiert.

Ruhm-Zone: Bereich des Bagua, der mit Ihrer Ausstrahlung und Ihrem öffentlichen Ansehen verbunden ist.

Sha-Chi: Destruktive Energie, hervorgerufen durch eine einseitige Kanalisierung des Chi, wie etwa bei Kanten und langen Geraden.

Spezialist: Pflanze mit speziellen Eigenschaften, sie steht außerhalb der Fünf Elemente.

Stärkend: Wirkung bestimmter Pflanzen, die die Lebensenergien der Menschen, des Raums oder auch anderer Pflanzen erhöhen.

Tai Chi: Zentrale Zone des Bagua, die mit Ihrer Lebenskraft und Gesundheit verknüpft ist.

Vermittelnd: Die Pflanze wirkt als Kommunikator für andere Pflanzen.

Viertagezyklus: Periode von vier Tagen, in der eine Pflanzenauswahl noch mal reflektiert werden sollte.

Wasserelement: Es steht für nach innen gekehrte und fließende Energie. Ihm werden der Winter sowie die Farben Blau und Schwarz zugeordnet.

Wissens-Zone: Bereich des Bagua, der mit Wissen und Intuition verknüpft ist.

Yang: Der aktive, sendende und männliche Aspekt der sich ergänzenden, gegensätzlichen Kraftimpulse.

Yin: Der passive, empfangende und weibliche Aspekt der sich ergänzenden, gegensätzlichen Kraftimpulse.

Zentrum: Siehe Tai Chi.

Piktogramme leicht verständlich

Die im Buch verwendeten Piktogramme werden hier noch einmal erklärt.

Der Kreislauf der Fünf Elemente Holz, Feuer, Erde, Metall und Wasser.

Das Element Holz steht für kräftig nach oben strebende Energien.

Das Element Feuer bezeichnet aktive, nach außen gerichtete Energien.

Das Element Erde steht für sammelnde Energien.

Das Element Metall bezeichnet nach innen gehende Energien.

Das Element Wasser steht für fließende Energien.

Die Lösung von Problemen mit Hilfe von Pflanzen und Feng-Shui-Accessoires.

Das Bagua, ein neunteiliges Raster zum Analysieren der Grundrisse von Wohnungen und Zimmern.

Die Karriere-Zone des Baguas.

Die Partnerschafts-Zone des Baguas.

Die Familien-Zone des Baguas.

Die Reichtums-Zone des Baguas.

Tai Chi oder Zentrums-Zone des Baguas.

Die Hilfreiche-Freunde-Zone des Baguas.

Die Kinder-Zone des Baguas.

Die Wissens-Zone des Baguas.

Die Ruhm-Zone des Baguas.

Pflanzen-Spezialisten, die nicht den Fünf Elementen zugeordnet werden können, aber spezielle Wirkungen haben.

Hier werden die Bagua-Zonen genannt, in denen die jeweilige Pflanze ihre Wirkung am intensivsten, gut oder wenig entfaltet.

Hier finden Sie Einzelheiten über die Wirkungen der Pflanzen auf den Menschen, das Umfeld oder auch andere Gewächse.

Hier werden besondere Talente und Pflegewünsche der Pflanze genannt.

Hier stehen weitere Pflanzenarten mit vergleichbaren Wirkungen.

Die Piktogramme zur Pflanzenpflege:

Die Pflanze wächst am besten in der vollen Sonne.

Die Pflanze wächst am liebsten an einem hellen Platz.

Die Pflanze wächst noch an einem weniger hellen Ort.

Die Pflanze viel gießen (im allgemeinen täglich).

Die Pflanze mittel gießen (etwa alle 3–4 Tage).

Die Pflanze wenig gießen (nur bei längerer Trockenheit).

Die Pflanze ist frostempfindlich, im Haus überwintern.

Die Pflanze bildet lange, nach oben kletternde Triebe aus.

Die Pflanze hat herabhängende Triebe und wirkt gut in Ampeln.

Sach- und Pflanzenregister

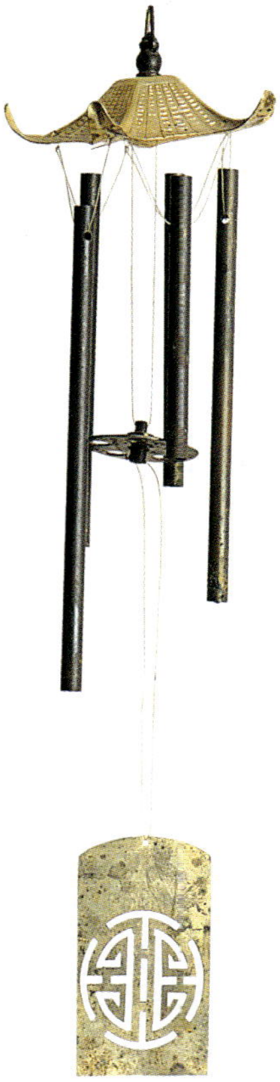

Die **halbfett** gesetzten Seitenzahlen verweisen auf Fotos.
U = Umschlagseite

Literatur, die weiterhilft

Becherer, F.: *Kaktus & Co.* Gräfe und Unzer, München

Mayer, J.: *Balkon- und Kübelpflanzen*. Gräfe und Unzer, München

Günther, H.: *Zimmerpflanzen*. Gräfe und Unzer, München

Meyer, H. und Sator, G.: *Besser leben mit Feng Shui*. Irisiana, München

Röllke, F.: *Orchideen*. Gräfe und Unzer, München

Sator, G.: *Feng Shui – Die Kraft der Wohnung entdecken und nutzen*. Gräfe und Unzer, München

Sator, G.: *Feng Shui für jeden Garten*. Gräfe und Unzer, München

Sator, G.: *Feng Shui – Garten für die Sinne*. Gräfe und Unzer, München

Sator, G.: *Feng Shui – Leben und Wohnen in Harmonie*. Gräfe und Unzer, München

Sator, G.: *Feng Shui – Kraftquelle Zimmerpflanzen*. Gräfe und Unzer, München

Tompkins, P. und Bird, Ch.: *Das geheime Leben der Pflanzen*. Fischer, Frankfurt

Zeitschriften

FLORA
Gruner + Jahr AG & Co. KG,
20444 Hamburg

Kraut und Rüben
DLV GmbH,
Lothstraße 29
80797 München

mein schöner Garten
Burda Senator Verlag GmbH,
Postfach 1520
77605 Offenburg

Adressen

Versender für westliche Feng-Shui-Artikel
Der Günther Sator-Katalog mit vielen energiereichen, edlen und originellen Feng-Shui-Produkten kann angefordert werden bei:

Versand für Deutschland
Willi Penzel Handels- und Vertriebs GmbH
Willi-Penzel-Platz 1-8
37619 Heyen
Fax: 0049-(0)5533-973767

Versand für Österreich, Schweiz und EU
Günther Sator GmbH
Bodenstätt 11
A-5163 Mattsee
Tel.: 0043-(0)6217-592070
www.sator.at

Dank des Autors

Ohne ihn wäre dieses Buch nicht möglich geworden: Rainer Berchtold, der schon »Feng Shui – Garten für die Sinne« mit seinem Wissen, seiner Intuition und seinen »testerischen« Fähigkeiten begleitete, verhalf auch diesem Buch zu noch mehr inhaltlicher Tiefe und vielen neuen Erkenntnissen über die inneren Energien der Pflanzen. Dafür meinen innigsten Dank – und auch für seine Fähigkeit und Geduld, mir komplexe Naturzusammenhänge, wie beispielsweise auch die Bedeutung eines Lebens in Harmonie mit der Natur und ihren (Mond-)Rhythmen, verständlich zu erklären.

Dank

Fotografen und Verlag danken folgenden Firmen für ihre Unterstützung:
Swarovski in Wattens, Englmayer in Wiegensbach.

Der Autor

Günther Sator ist der erste europäische Feng-Shui-Experte, der von Anfang an diese Methode auch für westliche Maßstäbe praktikabel gestaltete. Heute ist er der bekannteste deutschsprachige Feng-Shui-Spezialist und berät Privatkunden, Hotels, Banken und Großunternehmen. Seine Bücher sind Bestseller.

Die Grafiker

Die Illustrationen auf den Seiten 4–7, 13, 26–67 und 80/81 stammen von Heidemarie Vignati. Die anderen Illustrationen und Piktogramme entwarf Robert Schwidurski.

Die Fotografen:

Back: Seite 39, 49, 54;
Becherer: Seite 93 mi., 140;
Bilderdienst Höhn: Seite 7 li., 72 o.;
Borstell: Seite 74, 111;
Brand: Seite 13, 25 re.o., 79 u.;
Dieter Knoll Collection: Seite 44;
Eigstler: Seite 89 mi., 98 mi.;
Eisenbeiss: Seite 88 mi., 92 li., re., 101 li., mi., 113 mi., 123 li., 125 li., re., 127, 131 mi., 132 li., mi., 133 li., re.;
FLORA PRESS: Seite 2/3, 26, 66 o., 68;
Floraprint/Kooiman: Seite 95;
GBA/Wegler: Seite 70 re.;
Heller: Seite 24, 25 li.;
Jareiß, M.: Seite 52;
Kögel: Seite 97 li., 105 li.;
mein schöner Garten/Krieg: Seite 4, 21, 25 u., 29;
mein schöner Garten/Schmotz: Seite 12;
mein schöner Garten/Stork: Seite 1, 6, 17, 59, 69;
Nickig: Seite 99 mi;
Pflanzenbildarchiv MFW: Seite 96 re., 97 re., 98 li., re., 100 li., 107 mi., 108 re., 114 re., 115 mi., 117 li., mi., 120 li., 121 li., 123 mi., 130 li., re., 131 re., 133 mi.;
PhotoPress/Kuhn: Seite 56;
PhotoPress/Rose: Seite 30, 32, 38, 64, 65;
PhotoPress/Rutel: Seite 46, 47, 53;
PhotoPress/Seve: Seite 57;
Redeleit: Seite 5, 8, 11, 23 u., 28, 31, 33, 41, 45, 50, 55, 62, 63, 73 re., 135, 138, 139, U4 re.o.;
Rodrun/Knöll: Seite 42, 48, 61;
Schneiders, Ulrike: Seite 34, 132 re.;
Seidl: Seite 104 li., 128 li., 130 mi.;
Strauß: Seite U1 Hintergrund, o.li., o.re., u.re., 7 re., 9, 20, 22, 23 li.o., re., 27 li., re., 35, 40, 58, 66 u., 67, 70 li., 71, 72 u., 73 li., 75 li., 76, 77, 78, 79 o., 80, 81, 82, 84, 85, 86, 87, 88 li., re., 89 li., re., 90, 91, 92 mi., 93 li., re., 94, 96 li., mi., 97 mi., 99 li., re., 100 mi., re., 101 re., 102, 103, 104 mi., re., 105 mi., re., 106, 107 li., re., 108 li., mi., 109, 110, 112, 113 li., re., 114 li., mi., 115 li., re., 116, 117 re., 118, 119, 120 mi., re., 121 mi., re., 122, 123 re., 124, 125 mi., 126, 128 mi., re., 129, 131 li., 141, U4 li., re.u.;
Studio Schmitz: Seite 75 o.;
Werzowa, W.: Seite U1 u.li., 75 re.;
Wicanders: Seite U1 mi.;
Wrba: Seite 36, 37, 43, 51, 60.

DAS ORIGINAL · MIT GARANTIE · GU

Das Original mit Garantie

Ihre Meinung ist uns wichtig. Deshalb möchten wir Ihre Kritik, gerne aber auch Ihr Lob erfahren. Um als führender Ratgeberverlag für Sie noch besser zu werden. Darum: Schreiben Sie uns! Wir freuen uns auf Ihre Post und wünschen Ihnen viel Spaß mit Ihrem GU-Ratgeber.

Unsere Garantie: Sollte ein GU-Ratgeber einmal nicht Ihren Vorstellungen entsprechen und einen Fehler enthalten, schicken Sie uns bitte das Buch mit einem kleinen Hinweis und der Quittung innerhalb von sechs Monaten nach dem Kauf zurück. Wir tauschen Ihnen den GU-Ratgeber gegen einen anderen zum gleichen oder ähnlichen Thema um.

GRÄFE UND UNZER VERLAG
Redaktion Haus & Garten
Postfach 86 03 25
81630 München
Fax: 089/41981-113
e-mail: leserservice@graefe-und-unzer.de

Inhaltlich unveränderte Ausgabe von *Feng Shui: Harmonisches Wohnen mit Pflanzen*
ISBN 3-7742-2714-4

Redaktion: Sabine Schulz, Jolanda Englbrecht
Umschlaggestaltung: independent Medien-Design, München
Layout: Robert Schwidurski, München
Herstellung: Verena Römer
Satz: J. Kojer, München
Reproduktion: Fotolito Longo, Bozen
Druck: Appl, Wemding
Bindung: Monheim
Printed in Germany
ISBN 3-7742-6815-0

Auflage	3.	2.	1.
Jahr	06	05	2004

GRÄFE UND UNZER
Ein Unternehmen der
GANSKE VERLAGSGRUPPE

GU PFLANZENRATGEBER

So blühen Gärten & Wohnräume auf

ISBN 3-7742-2145-6
64 Seiten

ISBN 3-7742-1342-9
64 Seiten

ISBN 3-7742-6107-5
192 Seiten

ISBN 3-7742-5443-5
64 Seiten

ISBN 3-7742-3621-6
64 Seiten

Mehr Harmonie und Wohlbefinden in Haus und Garten: Schaffen Sie sich Ihre grüne Oase mit schönen Pflanzen, bunten Blüten und herrlichen Arrangements.

WEITERE LIEFERBARE TITEL BEI GU:

- Gärten gestalten
- Gartenblumen
- Rosengarten für Einsteiger

GU

Gutgemacht. Gutgelaunt.